REMEMBER

KUNSTWETTBEWERB
DER BILDUNGSSTÄTTE
ANNE FRANK
DIE ERSTEN FÜNF JAHRE

ART COMPETITION
OF THE ANNE FRANK
EDUCATIONAL
CENTRE
THE FIRST FIVE YEARS

KEHRƎR

Inhaltsverzeichnis

Content

Dr. Meron Mendel
Direktor Bildungsstätte
Anne Frank

„Es darf nicht nur beim Gedenken bleiben. Und es dürfen vor allem nicht immer nur Erwachsene sprechen.

Dem Andenken Anne Franks gerecht zu werden, muss immer auch heißen, junge Menschen ernst zu nehmen, ihre Perspektiven zu stärken und ihren Ideen Raum zu geben."

Dr. Meron Mendel
Director of the Anne Frank
Educational Centre

"We [...] have the clear vision that this date is not only a day for remembrance and looking back. And above all, it is not a day only adults should be allowed to speak.

Respecting the memory of Anne Frank always implies taking young people seriously, strengthening their perspectives and making space for their ideas."

DE

Am 12. Juni 2019 wäre Anne Frank 90 Jahre alt geworden. Ein Anlass für viele Gedenk- und Feierstunden, für wichtige Reden und Mahnungen an die Gegenwart. Für uns in der Bildungsstätte ist klar: Es darf nicht nur beim Gedenken bleiben. Und es dürfen vor allem nicht immer nur Erwachsene sprechen. Dem Andenken Anne Franks gerecht zu werden, muss immer auch heißen, junge Menschen ernst zu nehmen, ihre Perspektiven zu stärken und ihren Ansichten Gehör zu verschaffen.

Der Jugendkunstwettbewerb ist dafür eine ganz besondere Gelegenheit. Dank der wunderbaren Unterstützung von William Blair & Company haben wir Jugendliche und junge Erwachsene in ganz Deutschland immer wieder aufs Neue begeistern können, sich auf kreative Weise mit Fragen und Themen auseinanderzusetzen, die auch Anne Frank am Herzen lagen: Ausgrenzung, Anfeindungen und Hass. Aber auch Demokratie, Menschenrechte und die Hoffnung auf ein Morgen.

Anne Frank hat sich selbst als Schriftstellerin begriffen. Im Amsterdamer Hinterhaus, in dem sich die jüdische Familie Frank vor den Nationalsozialisten versteckte, schrieb sie Tagebuch. Jenes verstand sie auch als Materialsammlung für einen späteren Roman. Auf jeder Seite spürt man, wie wichtig ihr auch die sprachliche Präzision, der künstlerische Ausdruck ist. Philosophische Beobachtungen, melancholische Stimmungsbilder, die Abbildung oft komischer Alltagsszenen – neben dem dokumentarischen Charakter ist das Tagebuch auch Zeugnis einer jugendlichen Künstlerin, die ihr kreatives Potential selbstbewusst entwickelt.

Es ist seltsam, den Geburtstag eines Menschen zu feiern, der nicht mehr am Leben ist – wieviel mehr bei einem Menschen, dessen Leben auf grausame Weise verkürzt wurde. Wir hatten den 12. Juni 2014 zum Anlass genommen, junge Menschen einzuladen, sich über Anne Frank kreativ auszudrücken – mit unserem ersten Kunstwettbewerb zum Thema „ANNE FRANK HEUTE". Die Resonanz war überwältigend – über 150 Werke erreichten uns in wenigen Wochen! – ebenso wie die Formenvielfalt: Neben klassischen Gemälden und Zeichnungen fanden Fotocollagen, Lyrik und sogar eine Skulptur ihren Weg zu uns. Neben der Vielzahl von Einsendungen hat uns die Dynamik begeistert: Ganze Schulklassen nahmen an dem Wettbewerb teil, Projekttage wurden organisiert. Viele Einsendungen wurden von Briefen begleitet, in denen die Schüler*innen die Gedanken hinter ihrem Werk schildern, ihr Interesse an einer offenen, vielfältigen Gesellschaft, ihre Kritik an Ungleichheit und Ausgrenzung. Das war es, was wir uns erhofft hatten: nicht nur das Gedenken an, sondern das Denken mit Anne Frank weiterzuführen, ihre Botschaft in die neue Generation zu tragen.

Der Erfolg der Veranstaltung hat uns überzeugt, den Wettbewerb seither jedes Jahr auszurichten – mit wechselnden thematischen Schwerpunkten, aber immer im selben Geist. Ein Geist, der von den bemerkenswerten Persönlichkeiten in der Preisjury getragen wird – beginnend bei Buddy Elias, Cousin Anne Franks, und Gerti Elias, die nach dem Tod ihres Ehemanns Buddy 2015 die Aufgabe als Jurorin übernahm. Ohne das großartige und anhaltende Engagement von dem Finanzinstitut William Blair wäre der Wettbewerb der Bildungsstätte Anne Frank nur ein kurzlebiges Experiment geblieben. Besonders unser ständiges Jurymitglied, Philipp Mohr von William Blair, ist dabei hervorzuheben. Schließlich war es seine Dauerleihgabe, das Gemälde „The Touch" von Michael Knigin, die im Jahr 2013 den Stein ins Rollen brachte: Gemeinsam überlegten wir, wie wir Jugendliche gleichzeitig für Kunst und für Anne Frank interessieren könnten – und kamen schließlich auf die Idee, einen Wettbewerb auszurichten. Dass dieser dann aber derart zum Selbstläufer werden könnte, hat damals wohl keine*r der Beteiligten gedacht!

Dieser Katalog will einen kleinen Überblick über fünf Jahre junge Kunst in der Bildungsstätte Anne Frank geben – von denen wir uns wünschen, dass es nur die ersten fünf Jahre waren.

Dr. Meron Mendel
Direktor Bildungsstätte
Anne Frank

EN

On June 12, 2019, Anne Frank would have turned 90 years old. An occasion for long hours of commemoration and celebration, for important speeches and reminders in present times. We in the Anne Frank Educational Centre in Frankfurt have the clear vision that this date is not only a day for remembrance and looking back. And above all, it is not a day only adults should be allowed to speak. Respecting the memory of Anne Frank always implies taking young people seriously, strengthening their perspectives and making their views heard.

Our Youth Art Competition is a very special occasion for this. Thanks to the wonderful support of William Blair & Company, we have been consistently able to inspire young people and adolescents all over Germany to creatively explore questions and topics that were also important to Anne Frank: exclusion, hostility and hatred. As well as democracy, human rights and the hope for a better tomorrow.

Anne Frank saw herself as a writer. In the rear house in Amsterdam where the Jewish family Frank was hiding from the National Socialists, she wrote her journal. She saw her notes as a collection of material for a later novel. On each page the reader can feel the importance of linguistic precision, of artistic expression. Philosophical observations, melancholic atmospheric pictures, the depiction of everyday, often comic scenes—in addition to the documentary character this journal is also the testimonial of a young artist, who self-confidently develops her creative potential.

Celebrating the birthday of a person who is no longer with us is strange—even more so, when this person's life was extinguished in a most cruel way. Commemorating Anne's birthday, we invited young people on June 12, 2014 to express themselves creatively on Anne Frank with our first art competition entitled "Anne Frank Today"—. The response was overwhelming—we received over 150 works of art within a few weeks!—as was the variety and diversity of forms: not only did we receive classical paintings and drawings, photo collages or poetry, even a sculpture found its way to us. We were stoked not only by the large number of submissions but also by the unleashed dynamics: entire school classes took part in the competition, project days were organized. A lot of submissions were accompanied by letters in which the students described their thoughts behind their work, their interest in an open, diverse society, their criticism of inequality and exclusion. That was exactly, what we had hoped for: not just the remembrance of Anne Frank, but the continuation of her thinking, carrying her message into the new generation.

The success of this launch has convinced us to host the competition annually—with changing topical focus, but always keeping up the same spirit. A spirit which is represented in the notable jury members—starting with Buddy Elias, Anne Frank's cousin, and his wife Gerti Elias, who took over the role as one of the jurors after Buddy's death in 2015. Without the great and lasting commitment of William Blair & Company, the competition of the Anne Frank Educational Centre would have only been a short-lived experiment. In this respect we want to highlight our permanent jury member, Philipp Mohr of William Blair & Company. After all, it was his permanent loan, the painting "The Touch" by Michael Knigin, which set the ball rolling in 2013. Together, we pondered how we could at once interest teenagers in art and in the legacy of Anne Frank—and finally came up with the idea to host this contest. At that time probably none of the people involved thought, that this would become such a self-propelled project!

The purpose of this catalog is to provide a brief overview of five years of young art in the Anne Frank Educational Centre—the first five starting years as we hope.

Dr. Meron Mendel
Director of the Anne Frank
Educational Centre

DE

Kunst als Inspiration zum Handeln

Wie gedenken wir der ewigen Jugend Anne Franks? Ihr Leben wurde auf tragische Weise gekürzt, aber das ewig hoffnungsvolle Bild eines tapferen jungen Mädchens ist in den Köpfen und Herzen von Generationen auf der ganzen Welt eingeprägt. Anne Frank griff zur Feder und hat so ein bedeutendes Erbe geschaffen. Gemeinsam mit der Bildungsstätte Anne Frank in Frankfurt haben wir Jugendliche von heute eingeladen, „zur Feder zu greifen" und ihre einzigartige persönliche Hommage an Anne Frank und die bleibende Erinnerung an sie durch Kunst zu übermitteln.

Alles begann an einem schönen, sonnigen Tag im Sommer 2012. Ich besuchte eine Spendenauktion im Jewish Center of the Hamptons und ein erstaunliches Kunstwerk zog meine Aufmerksamkeit auf sich. Es war „The Touch" von Michael Knigin. Es wäre untertrieben, wenn ich sagen würde, dass es mich berührte. Ich war fasziniert. Ich erwarb das Kunstwerk und spendete es am 12. Juni 2013, dem 84. Geburtstag von Anne Frank, als Dauerleihgabe an die Bildungsstätte Anne Frank.

Meron Mendel, der Direktor der Bildungsstätte Anne Frank, und sein Team freuten sich, „The Touch" ein neues zu Hause bieten zu können. Es ist nicht nur eine Erinnerung an Anne Franks Geburtsort, sondern es stellt auch dar, was sie durchgemacht hat, als sie nach Amsterdam gegangen ist, im Versteck lebte und ihr Tagebuch schrieb. Die Beleuchtung der Hände und der beiden Finger, die sich berühren, vermittelt ein unglaublich positives Gefühl. Wir wissen alle, dass sie in einem Konzentrationslager ermordet wurde, und wir gedenken ihrer und erinnern uns dankbar an ihre Menschlichkeit, ihre Suche nach Glück und ihre Hoffnung auf eine bessere Zukunft.

Dieses Kunstwerk diente auch als Inspiration, um einen Kunstwettbewerb in Zusammenarbeit mit der Bildungsstätte Anne Frank in Frankfurt zu initiieren. Der erste Wettbewerb, „Anne Frank heute", inspirierte 2014 mehr als 300 Jugendliche, die Poster, Kompositionen und Collagen kreierten. Anne Franks Cousin Buddy Elias nahm an der ersten Siegerehrung teil, um die Gewinner mit einer berührenden

Rede zu Annes 85. Geburtstag zu ehren. Der beeindruckendste Beitrag und Gewinner in diesem ersten Jahr war der „Erinnerungsschrank". Es war eine faszinierende Installation, die die vielen Dimensionen von Anne Franks Leben darstellt. Ich werde mich an die junge Künstlerin für den Rest meines Lebens erinnern. Leider wurde der „Erinnerungsschrank" später während der Lagerung durch einen Wasserschaden beschädigt, aber wir haben des Kunstwerks mit Fotos in dieser Sammlung gedacht.

Der Kunstwettbewerb wuchs im Laufe der Jahre – jedes Jahr zu einem anderen Thema, die alle die Bekämpfung von Intoleranz als Schwerpunkt hatten. 2015 stand der Wettbewerb unter dem Motto „Mensch, du hast Rechte!". In diesem Jahr wurden mehr als 350 Poster eingereicht. Die jungen Künstler*innen vermittelten ihre Interpretation von Menschenrechten, der Flüchtlingskrise, Einwanderung, des Asylrechts, der europäischen Grenzpolitik, Religionsfreiheit, Meinungsfreiheit, der Freiheit von Berufswahl, der Gleichstellung der Geschlechter, Frauenrechte, Menschenrechte sowie Ernährungs- und Wasserversorgungssicherheit. Jedes Stück variierte, aber im Mittelpunkt standen die Bedeutung und der Wert von Inklusion und des Kampfes gegen Vorurteile und Diskriminierung.

Im Jahr 2016 konzentrierte sich das Thema des Wettbewerbs auf Geflüchtete und Asylrecht. Dies ist ein uraltes juristisches Konzept, aber die Interpretation bleibt hochpolitisch. Ob in Deutschland, Frankreich, Italien, Griechenland, Polen, dem Vereinigten Königreich oder den Vereinigten Staaten, die Flüchtlingskrise ist ein äußerst heikles Thema. Über 500 Künstler*innen haben ihre Ideen und Vorstellungen durch ihre Kunst eingebracht.

Das Thema „Save the World – Superheroes Today" wurde 2017 aus der Perspektive der Comic-Welt angesprochen. Die Held*innen kamen aus allen Gesellschaftsschichten. Die Künstler*innen zeigten alles, von der „Supermom" bis hin zur ersten afroamerikanischen Taxifahrerin in New York, Gertrude Jeannette. Von zwei 13-jährigen Schüler*innen aus Oberursel, den Gewinner*innen des Kunstwettbewerbs in diesem Jahr, lernten wir etwas über ihren „Superheldinnen-Traum". Ihr Comic hat eine Superheldin geschaffen, die in den Träumen der Menschen existiert, um Rassismus zu bekämpfen und Vorurteile zu überwinden.

Der letztjährige Wettbewerb, unser fünfter „Geburtstag", entsprach den Stärken von Anne Frank. „Wir suchen Streit" war das Thema. Zu diesem Zeitpunkt war der Kunstwettbewerb im ganzen Land bekannt und wurde am 12. Juni, an Anne Franks Geburtstag, erneut gefeiert. Wir erhielten im Jahr 2018 Hunderte von Zuschriften von Postern. Auf einem meiner Favoriten war eine katholische Nonne in ihrem traditionellen Outfit zu sehen, im Habit, neben einer muslimischen Frau mit einem Kopftuch, dem Hijab. Beide Bilder sahen ziemlich ähnlich aus. Unter dem Bild war die Aussage: „Der einzige Unterschied ist Ihr Rassismus." Sehr stark.

Da wir in diesem Buch einige Highlights des Kunstwettbewerbs präsentieren und feiern, bin ich allen beteiligten Künstler*innen für ihre Beiträge, ihre Zeit und ihre wunderbaren Ideen dankbar. Mein besonderer Dank gilt Meron Mendel, Eva Berendsen, Ricarda Wawra, Céline Wendelgaß und Siraad Wiedenroth für die Zusammenarbeit als Partner*innen des Kunstwettbewerbs. Wir sind dankbar für die Arbeit, die Sie in der Bildungsstätte Anne Frank leisten, und wir fühlen uns geehrt, die Bildungsstätte bei ihren Bemühungen zu unterstützen. Ich möchte auch meinem Arbeitgeber, William Blair, dafür danken, dass er an den Wettbewerb und die Partnerschaft geglaubt und in sie investiert hat.

Es ist besonders ermutigend, die Nachdenklichkeit und Begeisterungsfähigkeit unserer Jugend zu beobachten. Sie nahmen den Geist dieses Wettbewerbs an und scheuen sich nicht, sich auszudrücken. Wir sollten uns alle darauf verlassen können, dass diese jungen Menschen die Bürger*innen, Denker*innen und Führungskräfte von morgen sind.

Liebe Leser*innen, bitte genießen Sie die künstlerischen Darstellungen von Anne Franks Vermächtnis. Finden Sie die Zeit zum Nachdenken, lassen Sie sich berühren und auch zum Handeln anregen. Es wird mehr auf uns zukommen und es gibt viel zu tun.

Mit freundlichen Grüßen,
Philipp Mohr

Philipp Mohr
Partner, William Blair & Company
Gründungssponsor des jährlichen Kunstwettbewerbs
der Bildungsstätte Anne Frank

EN

Using Art to Inspire Action

How do we commemorate the perpetual youth of Anne Frank? Her life was tragically cut short, for certain, but the forever-hopeful image of a brave young girl has been imprinted on the minds and hearts of generations around the world. Anne Frank put pen to paper and created a meaningful legacy. Together with the Anne Frank Educational Centre in Frankfurt, Germany, we have invited the youth of today to put pen to paper and convey their uniquely personal tributes to Anne Frank and her lasting memory through art.

It all started on a beautiful, sunny day in the summer of 2012. I was attending a fundraising event at the Jewish Centre of the Hamptons, and an amazing piece of art caught my attention. It was "The Touch" by Michael Knigin. To say that I was touched would be an understatement. I was captivated. I procured the piece and subsequently donated it as a permanent loan to the Anne Frank Educational Centre on June 12, 2013, Anne Frank's 84th birthday.

Meron Mendel, the executive director of the Anne Frank Educational Centre, and his team were delighted to provide a new home for "The Touch". Not only was it commemorative of Anne Frank's birthplace, but it also represented what she had gone through leaving for Amsterdam, living and writing her diary in hiding. The illumination of the hands and the two fingers that are touching each other provide an incredibly positive feeling. We all know she was killed in a concentration camp, and we gratefully remember her for her humanity, her search for happiness, and her hope for a better tomorrow.

That artwork also served as an inspiration to initiate an art competition in partnership with the Anne Frank Educational Centre. The first competition, "Anne Frank Today," in 2014, engaged more than 300 youth who created posters, compositions, and collages. Anne Frank's cousin Buddy Elias attended the first award ceremony to honor the winners with an inspiring speech on Anne's 85th birthday. The most remarkable winning contribution of the competition this first year was the "Memory Cabinet." It was a fascinating installation representing the many dimensions of Anne Frank's life. I will remember the young artist's piece for the rest of my life. Sadly, the "Memory Cabinet" was later destroyed by floodwater while being stored in the Centre, but we have commemorated the piece with photos in this collection.

The art competition grew over the years with different featured themes—all developed to counter intolerance. In 2015, the competition was themed "Human, you are right—Human, you have rights!" There were more than 350 poster submissions that year. The young artists conveyed their interpretation of human rights, the refugee crisis, immigration, the right to asylum, the European border policy, the freedom of religion, the freedom of expression, the freedom to choose your occupation, gender equality, sexual orientation equality, women's rights, human rights, and water and food security. Each piece varied, but at the core was the importance and value of inclusiveness and of struggling against prejudice and bias.

In 2016, the theme of the competition focused on refugees and the right to asylum. This is an ancient juridical concept, yet its interpretation remains highly political. Whether in Germany, France, Italy, Greece, Poland, the United Kingdom, or the United States, the refugee crisis is an extremely sensitive subject. More than 500 artists provided their ideas and answers through their art.

The "Save the World!—Superheroes Today" theme was approached from a comic angle in 2017. The heroes emerged from all walks of life. Artists depicted everything from "Supermom" to the first African-American taxi driver in New York City, Gertrude Jeannette. We learned about the "Superhero Dream" from two 13-year-old students from Oberursel, the winners of the art competition that year. Their comic created a superhero who works in people's dreams to battle racism and overcome prejudice.

Last year's competition, our fifth anniversary, paralleled Anne Frank's strength. "Let's Pick a Fight" was the theme. By this time the art competition had grown across the country and was celebrated again on Anne Frank's birthday, June 12th. We received hundreds of poster submissions in 2018. One of my favorites captured a Catholic nun in her traditional

outfit, the habit, next to a Muslim woman wearing a headscarf, the hijab. Both pictures looked rather similar. Below the composition was a statement: "The only difference is your racism." Very powerful.

As we showcase and celebrate some highlights of the art competition in this book, I am grateful to all of the participating artists for their contributions, their time, and their wonderful ideas. My special thanks to Meron Mendel, Eva Berendsen, Ricarda Wawra, Céline Wendelgaß, and Siraad Wiedenroth for collaborating as our partners for the art competition. We are proud of the work you do at the Anne Frank Educational Centre, and we are honored to participate in the legacy and commemoration of Anne Frank and all the human values she represents. I also want to thank my employer, William Blair, for believing and investing in the growth of the competition and partnership.

It is especially heartening to observe the thoughtfulness and sophistication of our youth. They embraced the spirit of this competition and were not shy about expressing themselves. We should all feel confident that these young people are tomorrow's citizens, thinkers, and leaders.

To all readers, please enjoy the artistic representations of Anne Frank's legacy. Find time to think, to be touched, and ideally to be inspired to act. There is more to come and more work to do.

Sincerely,
Philipp Mohr

Philipp Mohr
Partner, William Blair & Company
Founding Sponsor of the Anne Frank
Educational Centre Annual Art Competition

Michael Knigin
„The Touch"

DE

EN

Der seit 2014 jährlich ausgelobte Kunstwettbewerb der Bildungsstätte Anne Frank gibt jungen Menschen in Deutschland die Gelegenheit, Themen zu präsentieren, die sie aktuell bewegen. Die jungen Künstlerinnen und Künstler beschäftigen sich in ihren Beiträgen mit wichtigen gesellschaftlichen Themen wie Rassismus, Fremdenfeindlichkeit, modernen Frauenbildern, Gleichberechtigung und Migration. In den letzten fünf Jahren ist eine Sammlung von Werken entstanden, die einen tieferen Einblick in das Leben der deutschen Jugendlichen und ihrer Auseinandersetzung mit diesen Themen ermöglicht.

Ich freue mich sehr, dass Werke der Wettbewerbe der vergangenen Jahre nun in den USA präsentiert werden. Die Ausstellung in den USA bietet die Möglichkeit, in die Gefühlswelt deutscher Jugendlicher zu blicken, einander besser zu verstehen und den vielen gemeinsamen Werten, die Deutschland und die USA verbinden, Ausdruck zu verleihen. Diesem transatlantischen Austausch kommt im Jahr der Deutsch-Amerikanischen Freundschaft unter dem Motto „Wunderbar together" besondere Bedeutung zu. Gerade unter den Jüngeren ist dieser Austausch wichtig, um die Freundschaft zwischen Deutschland und den USA auch in Zukunft zu erhalten.

Ich danke deshalb ganz herzlich allen an diesem Kunstwettbewerb beteiligten Jugendlichen. Mein besonderer Dank gilt der Bildungsstätte Anne Frank sowie der Investmentbank William Blair, die die Ausstellung und diesen Katalog ermöglichen.

The art competition held annually since 2014 by the Anne Frank Educational Centre provides young people in Germany with the opportunity to present topics that currently stir their imagination. In their contributions, the young artists take on important social issues such as racism, xenophobia, modern images of women, equal rights, and migration. What has emerged over the past five years is a collection of works enabling a deeper look at the lives of German youth and their approach to these issues.

I am very pleased that works from the competitions of past years are now being presented in the US. The exhibition enables us to peer into the emotional world of German youth, to better understand each other, and to give expression to the many shared values that unite Germany and the US.

This transatlantic exchange gains particular importance in the Year of German-American friendship whose motto is "Wunderbar together". It is crucial especially among the younger generation if we are to preserve the friendship between Germany and US for the future as well.

I therefore very warmly thank all the young people who participated in this competition. My special thanks go to the Anne Frank Educational Centre and the William Blair investment bank for making this exhibition and catalog possible.

Dr. Emily Haber
Deutsche Botschafterin
in den Vereinigten Staaten

Dr. Emily Haber
German Ambassador
to the United States

Anne Franks Cousin Buddy Elias mit seiner Frau Gerti Elias
bei der Preisverleihung 2014. Buddy Elias ist 2015 verstorben.

Anne Franks cousin Buddy Elias with his wife Gerti Elias
at the Award ceremony 2014. Buddy Elias died in 2015.

Sharon Dodua Otoo

WIR MÜSSEN KUNST MACHEN.

Sharon Dodua Otoo ist Gewinnerin des Ingeborg Bachmann Preises 2016

Es gibt zahlreiche gute Gründe, warum viele von uns das weder jetzt noch in Zukunft machen (werden). Ob finanzielle Belastungen, diskriminierende Strukturen, quälende Selbstzweifel, oder vielleicht zu wenige Vorbilder. Viele Künstler*innen arbeiten isoliert, hinter verschlossenen Türen oder nur zum Vergnügen einer kleinen Gruppe von Interessierten. Als ich mein erstes Theaterstück schrieb, wurde mir gesagt, es sei langweilig. Meine Kurzgeschichten wurden abgelehnt. Es gab kein Interesse an meinen Gedichten. Zum Glück schrieb ich trotzdem weiter. Anerkennung für unsere Leistungen kommt manchmal erst Jahre später oder gar nicht zu unseren Lebzeiten. Dennoch müssen wir weiter Kunst machen. Und wir dürfen nicht auf die Erlaubnis oder Zustimmung anderer warten, bevor wir unsere Arbeit mit dem Rest der Welt teilen. Sei kreativ, auch wenn es so scheint, als hättest du keine Chance zu „gewinnen". Unsere Aufgabe ist zu groß und zu dringend, um nur Auftragsarbeit zu sein.

Angesichts der humanitären Krise im Mittelmeer, der drohenden Klimakatastrophe, des Wiederaufflammens antidemokratischer und rechtsextremer Bewegungen in Europa und den Vereinigten Staaten mag es durchaus zwecklos erscheinen, überhaupt Kunst zu machen. Ist es aber nicht. Kunst bleibt eine überlebenswichtige Form politischer Meinungsäußerung und des Widerstandes. Wir müssen kreieren und schaffen – in der Tradition derer, die vor uns da waren und zum Wohle all jener, die nach uns kommen. Unsere Kreativität ist nicht nur ein Produkt der Gesellschaft, in der wir leben, sondern produ-

ziert auch unsere Gesellschaft – oder, wie Robin Kelley in seinem Buch *Freedom Dreams* eleganter formuliert: „Wir sind nicht nur Erb*innen einer Kultur, sondern ihre Schöpfer*innen." Unsere Musik, unsere Poesie, unsere Bilder, unsere Gestaltung können die bestehenden Machtdynamiken unterstützen oder auf deren Destabilisierung hinarbeiten. Wir können Rassismus entweder reproduzieren oder ihn anprangern. Wir können ermattete sexistische Sprache bedienen, oder wir können Gender völlig neu definieren. Was wir angesichts gesellschaftlicher Ungerechtigkeiten uns nicht leisten können, ist uns neutral zu verhalten.

Wir müssen Kunst machen. Wir alle. Ich rufe aber insbesondere diejenigen von uns dazu auf, die an die Ränder gedrängt werden. Diejenigen, die immer wieder von Agenturen abgelehnt werden, die noch immer keinen Plattenvertrag bekommen haben und deren Portfolios nicht gut genug sind, um an der Kunsthochschule aufgenommen zu werden. Diejenigen, die mit Akzent schreiben, mit unkonventionellen Farben singen oder aus dem Takt malen. Personen, die Diskriminierung erfahren, weil die Gesellschaft weder gelebte Erfahrungen mit Schwarzsein noch Unterschiede in Klasse, Sexualität, Gender, Behinderung, Religion oder Alter zu respektieren, zu würdigen oder zu feiern weiß. Ihr werdet geschätzt. Kreiert und erschafft weiter. Mit Leidenschaft. Und erinnert euch an die Worte von Edwidge Danticat: „Schaffe gefährlich" mit dem Wissen, dass eines Tages eine Person irgendwo vielleicht das eigene Leben riskieren wird, um Zugang zu deiner Arbeit zu bekommen.

Sharon Dodua Otoo

WE
MUST
MAKE
ART.

Sharon Dodua Otoo is the winner of the German-language literature
Ingeborg Bachmann prize in 2016

There are many good reasons why many of us don't or won't. There are financial burdens, discriminatory structures, nagging self-doubt, too few role models perhaps. Many artists work in isolation, behind closed doors or only for the benefit of a small group of interested people. When I wrote my first theatre play I was told it was boring. My short stories were rejected. There was no interest in my poetry. Luckily, I kept on writing anyway. Recognition for our achievements may come only years later, or it may not come in our lifetimes at all. Still, we must continue to make art. And we must not wait for someone else's permission or approval before we share our work with the rest of the world. Create, even if it seems that you will not "win". Our task is too great and too urgent to be commissioned.

With the humanitarian crisis on the Mediterranean Sea, with the impending climate catastrophe, with the re-emergence of anti-democratic and far right movements across Europe and the United States, it can seem futile to engage in making art at all. It isn't. Art remains a vital mode of political expression and resistance. We must create in the tradition of our ancestors, and for the benefit of those who will come after us. Our creativity is not only a product of the society we live in, but also produces our society—or as Robin Kelley in his book *Freedom Dreams* more elegantly put it: "we are not merely inheritors of a culture, but its makers." Our music, our poetry, our images, our designs can support existing power dynamics or we can work towards destabilising them. We can either reproduce racism or we can call it out. We can employ tired sexist tropes, or we can reimagine gender altogether. What we cannot afford to do, in the face of injustice, is act neutral.

We must make art. All of us. But I am especially calling on those of us who are considered to be at the margins. The ones who keep getting rejected by the agents, who still haven't got the record deal, whose portfolios aren't quite good enough to get into art school. The ones who write with an accent, sing using unconventional colours or paint out of time. The ones who experience discrimination through society's inability to respect, value or celebrate differences in race, class, sexuality, gender, disability status, religion or age. You are valued. Continue to create. With a passion. And remember the words of Edwidge Danticat: "create dangerously," with the knowledge that one day someone, somewhere may risk their lives to be able to access your work.

Sharon Dodua Otoo
Ingeborg Bachmann prize
winner in 2016

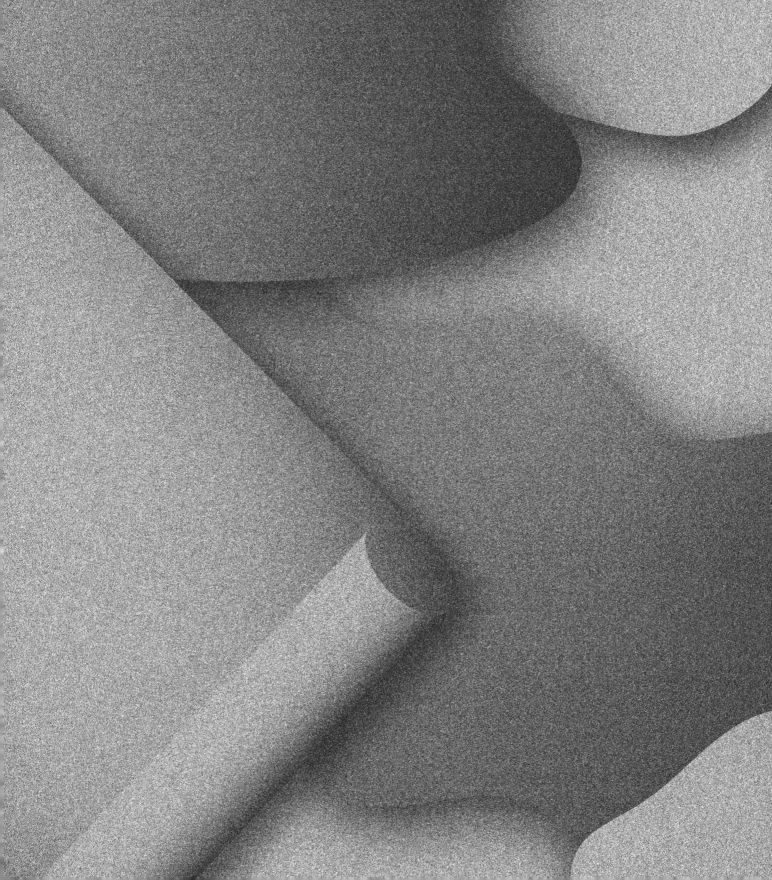

WETT-
BEWERBE

Competitions

2014
—
2018

„Wir waren überrascht und begeistert, mit welcher Kreativität und welchem Einfallsreichtum die Arbeiten gestaltet wurden."

"We were surprised and thrilled by the creativity and ingenuity of the works sent in."

Anne Frank Today

ANNE FRANK HEUTE

2014

Sponsors

Anne Frank Zentrum Berlin
William Blair & Company
Anne Frank Haus Amsterdam

Preisträger*innen / Winners

→ Jakob Sinsel (16), Offenbach

→ Paula Maria Blesken (14), Berlin

→ Leonardo Wassermann-Pulido (16), Offenbach

→ Lukas Splitthoff (18), Niklas Bilk (15),
   Natascha Südfeld (16), Marie Richter (16), Havixbeck

→ Dominik Woltermann (14), Benjamin Staal (16),
   Julia Blaauw (14) und Patricia Rauschenbach (14),
   Weener-Ems

→ Sabrin Bouhayaoui, Merve Kücükyavuz,
   Yasemin Agrali und Beyza Tosun

→ Jördis und Zoe

Jury

Buddy Elias, Schauspieler,
Cousin von Anne Frank &
Präsident des Anne Frank
Fonds (Basel)

Mirjam Pressler,
Übersetzerin des Tagebuchs
von Anne Frank

Gottfried Kößler,
Fritz Bauer Institut
(Frankfurt)

Bärbel Schäfer,
Moderatorin
(Frankfurt)

Helge „Bomber" Steinmann,
Graffiti-Künstler

Ronald Leopold,
Direktor des Anne Frank
Hauses (Amsterdam)

Thomas Heppener,
Direktor des Anne Frank
Zentrums (Berlin)

Meron Mendel,
Direktor der Bildungsstätte
Anne Frank (Frankfurt)

Philipp Mohr,
William Blair & Company
(Frankfurt)

DE Heute müssten wir uns Anne Frank als alte Frau vorstellen. Am 12. Juni 2014 wäre sie 85 Jahre alt geworden. Im ersten Jahr unseres Jugendkunstwettbewerbs haben wir uns die Frage gestellt: Ist die Geschichte von Anne Frank für Jugendliche heute überhaupt noch interessant? Ist ihr Tagebuch mehr als nötige Schullektüre, mehr als ein Thema für den History Channel? Kann das Schicksal der Anne Frank junge Menschen noch „abholen" – geschweige denn inspirieren? Und wenn ja: auf welche Weise?

ANNE FRANK HEUTE lautete das Motto des bundesweiten Jugendkunstwett-bewerbs. 150 Kunstwerke sind in der Bildungsstätte angekommen: Bilder und Collagen, Plastiken, Gedichte und Comics, Videos von Theaterinszenierungen, Webblogs, CDs mit selbstkomponierten Musikstücken. Die Teilnehmer*innen durften sich als Malerin oder Bildhauer, als Schauspieler, Regisseurin oder als Tänzer verstehen.

„Wir waren überrascht und begeistert, mit welcher Kreativität und welchem Einfallsreichtum die Arbeiten gestaltet wurden", sagte Buddy Elias, Anne Franks Cousin und Vorsitzender der Jury, die mit der Schriftstellerin Mirjam Pressler, der Moderatorin Bärbel Schäfer, dem Graffiti-Künstler Helge „Bomber" Steinmann und Philipp Mohr von der Investmentbank William Blair & Company prominent besetzt war. Die Juroren standen vor einer schweren Entscheidung.

Großes Lob der Jury galt dem „Erinnerungsschrank" der 14 Jahre alten Paula Maria aus Berlin: Das mannshohe Werk besteht aus mehreren Kisten, die Vorderseite ergibt ein großes Porträt von Anne Frank; wer die hintere Seite betrachtet, findet diverse Schätze in den Kisten, die an Anne Frank, ihre Familie und das Leben im Versteck erinnern.

EN Today we would have to imagine Anne Frank as an old lady. On June 12, 2014, she would have turned 85 years old. It is the first year of our Youth Art Competition, and we asked ourselves: Is Anne Frank's story still relevant to young people? Is her journal more than just another book you are required to read in school, more than a topic for the history channel? Can Anne Frank's fate still "talk to" young people—let alone inspire them? If yes: in which way?

ANNE FRANK TODAY was the motto of our nationwide Youth Art Competition. 150 works of art have arrived at our centre: pictures and collages, sculptures, poems and comics, videos of theatre productions, web blogs, CDs with self-composed pieces of music. The participants were allowed to express themselves as painters or sculptors, actors, directors or as dancers.

"We were surprised and thrilled by the creativity and ingenuity of the works sent in," said Buddy Elias, Anne Frank's cousin and chair of the jury, which included writer Mirjam Pressler, TV presenter Bärbel Schäfer, graffiti artist Helge "Bomber" Steinmann and Philipp Mohr from the investment bank William Blair & Company. The jurors were faced with a difficult decision.

They especially praised the "memory cabinet" of 14-year-old Paula Maria from Berlin: The man-sized work consists of several boxes, the front shows a large portrait of Anne Frank, if you look at the back, you will find treasures in the boxes, reminiscent of Anne Frank, her family and her life in hiding.

bildungsstätte anne frank

Jugendwettbewerb
ANNE FRANK
HEUTE

Eure Kreativität ist gefragt!

Gewinnt eine 2-tägige
Reise nach Amsterdam!

Einsendeschluss:
02. Mai 2014

Für diesen Katalog wurde eine kuratierte Auswahl der Wettbewerbsteilnehmer*innen ausgesucht. Im folgenden Teil ist diese Auswahl für das Jahr 2014 abgebildet.

For this catalog, a curated choice of contestants was selected. The following part shows this selection for the year 2014.

🏆 Gewinner / Winner

LEONARDO WASSERMANN-PULIDO

→ # ohne Titel untitled

ALTER/AGE
16

STADT/CITY
Offenbach am Main

DE Das Bild besteht aus vielen kleinen, teils figurativen, teils abstrakten Zeichnungen, die ineinander übergehen. Im Zentrum sieht man Anne Frank, rechts neben ihr wurde die Häuserreihe mit der Prinsengracht 263 gezeichnet. Anne wird von einem Stacheldraht umrandet, der über ihrem Kopf an einen Heiligenschein erinnert. Auf der rechten Seite neben der Häuserreihe sieht man Adolf Hitler, der Bomben auf die Prinsengracht 263 spuckt. Das Bild ist sehr feingliedrig gezeichnet. Es lädt dazu ein, sich länger damit zu beschäftigen. Man entdeckt immer wieder Neues, das zum Nachdenken anregt.

EN The image consists of many small partly figurative, partly abstract drawings that merge into each other. In the center you can see Anne Frank. On her right the artist has drawn the row of houses with Prinsengracht 263 in the middle. Anne is framed by a barbed wire reminiscent of a halo above her head. On the right-hand side next to the row of houses, Adolf Hitler is seen spewing bombs at Prinsengracht 263. The picture, in its delicate composition, invites the viewer to take time and mull over it. You keep discovering new things that inspire your reflexion.

PAULA GUTTMANN

ALTER/AGE
15

STADT/CITY
Dietzenbach

→ # Dear Diary

DE In dem Comic sieht man Anne Frank, die mit einem schwarzen, mit Nazi-Runen verzierten Balken mundtot gemacht wird. Um sie herum findet man weitere einschlägige Begriffe der NS-Zeit. In der Gedankenblase auf der rechten Seite steht „einmal werden wir doch wieder Menschen und nicht nur Juden sein." In diesem Comic wird eindrucksvoll erkennbar, was Jugendliche heute mit Anne Frank verknüpfen und welche Fragen sie sich stellen.

EN In the comic, Anne Frank is muzzled with a black bar decorated with Nazi symbols. There are other relevant terms of the Nazi era around her. The thought bubble on the right reads, "Once we shall be human beings again and not just Jews." This comic impressively shows what young people associate with Anne Frank today and what questions they ask themselves.

English summary of the poster's text: Once we shall be human beings again and not just Jews. Saturday, 15th of July 1944
"It is a miracle that I have not given up all expectations, because they seem absurd and unworkable. Still, I hold on to them, despite everything, because I still believe in man's inherent goodness."

JAKOB SINSEL

ALTER/AGE
16

STADT/CITY
Offenbach am Main

→ # You Cannot Hide

DE Im oberen Bereich des Kunstwerks wird Anne Frank als Jüdin entlarvt und, wie beim Geheimdienst oder Militär, als „Ziel" betitelt. In großen Lettern wurde der Satz „Du kannst dich nicht verstecken!" quer über das Bild geschrieben. Die Bilder zeigen wie Anne stellvertretend für alle Juden in der Zeit des Nationalsozialismus nicht wie ein Mensch behandelt wurde. Mit ihr wurde umgegangen wie mit „feindlichen Zielen" im Krieg.

EN In the upper part of the art work, Anne Frank is exposed as a Jew and marked as a "target", as Secret Service and military usually do. In large letters, the phrase "You cannot hide!" has been written across the picture. The pictures show how Anne, on behalf of all Jews during the time of National Socialism, was not being treated like a human being. She was treated as if she were an "enemy" target in a war.

→ # Murmelspiel
Marble Game

DE Bevor Anne Frank sich mit ihren Eltern und ihrer Schwester in Amsterdam verstecken musste, übergab Anne Frank ihrer Nachbarin und Spielgefährtin Toosje Kuppers ein paar ihrer Schätze, unter anderem auch ein Glasmurmelspiel in einer Blechkiste. Fast 70 Jahre nach Anne Franks Tod entdeckte Toosje Kuppers die Murmeln bei einem Umzug und übergab sie dem Anne-Frank-Haus in Amsterdam.
Dieses Murmelspiel ist dem von Anne Frank nachempfunden.

EN Before going in to hiding in Amsterdam with her parents and sister, Anne Frank handed her neighbor and playmate Toosje Kuppers a few of her treasures, including a glass marble game in a tin box. Nearly 70 years after Anne Frank's death, Toosje Kuppers rediscovered the marbles during a move and handed them over to the Anne Frank House in Amsterdam.
This marble game is modeled after that of Anne Frank.

**LUKAS SPLITTHOFF, NIKLAS BILK UND
NATASCHA SÜDFELS, MARIE RICHTER**

ALTER/AGE
18, 16, 16 15

STADT/CITY
Havixbeck

→ # Schülerzeitung „Habicht" Student's Magazine "The Hawk"

DE Die Schülerzeitung „Habicht" der Anne-Frank-Gesamtschule Havixbeck widmet Anne Frank zum Gedenken an ihren 85. Geburtstag ein ganzes Kapitel. In einer Geburtstagsrede stellt sich der Autor die Frage, wie Annes Leben wohl verlaufen wäre.
In einem fiktiven Interview wird Anne Frank zu ihrem Leben in Amsterdam befragt. Sie erzählt auch von ihrer Rückkehr nach Frankfurt nach dem Zweiten Weltkrieg und wie das NS-Regime ihr Leben geprägt hat.
Außerdem erzählt der Zeitzeuge Felix Kolmer seine beeindruckende Lebensgeschichte. Er überlebte das KZ Auschwitz und hat eine klare Botschaft an die nachfolgende Gesellschaft: „Eure Aufgabe ist es aufzupassen, dass sich so etwas wie damals nicht wiederholt!"

EN The student newspaper "Habicht" of the Anne Frank comprehensive school in Havixbeck has devoted an entire chapter to Anne Frank in memory of her 85th birthday. In a birthday speech, the author questions how Anne's life might have developed.
Anne Frank then is interviewed fictitiously and recounts her life in Amsterdam. She also talks about her return to Frankfurt after World War II and the Nazi regime's impact on her life.
In addition, the contemporary witness Felix Kolmer shares his impressive life story. He survived Auschwitz concentration camp and has a clear message for the coming generations: "Your task is to ensure that something like this will never happen again!"

English translation of the magazine's text: As long as there is the cloudless sky, I cannot allow myself to be sad.

→ # Komposition Composition

DE Die Künstlerin hat Anne Frank zum 85. Geburtstag ein wunderbares Stück komponiert und auf der Querflöte vorgetragen.

EN The artist composed for Anne Frank a wonderful piece for her 85th birthday and performed it on the transverse flute.

PAULA MARIA BLESKEN

ALTER/AGE
14

STADT/CITY
Berlin

→ # Erinnerungs-schrank Memory Cabinet

DE Der Erinnerungsschrank besteht aus 12 drehbaren Kästen. Auf der Vorderseite sieht man – zusammengesetzt – eines der berühmten Bilder von Anne Frank. Dreht man die Kästen um, findet man darin jeweils nachgebastelte signifikante Erinnerungsstücke, die das Leben von Anne Frank erzählen: Angefangen von einem Familienfoto, über Dinge, die Anne einpackte, bevor die Familie nach Amsterdam fliehen musste, bis hin zu dem Fenster auf dem Dachboden in der Prinsengracht 263, an dem Anne ihren letzten Tagebucheintrag schrieb. Begleitet werden die 12 Kästen von einem sehr einfühlsamen Text der Künstlerin, die versucht hat sich in die Gedanken- und Gefühlswelt von Anne Frank hinein zu versetzen. Der Text wurde aus der Sicht des Tagebuchs geschrieben: „Die Menschen heute können sich gar nicht vorstellen, wie es ist eingesperrt zu sein und wie sehr man all das Schöne in der Welt […] vermissen würde […]"

EN The memory cabinet consists of 12 rotating boxes. On the front you can see—assembled—one of Anne Frank's famous photos. When you flip the boxes, you will find replicated significant memorabilia that tell the life of Anne Frank: There is a family photo, or things that Anne packed before the family had to flee to Amsterdam, or the window on the attic in Prinsengracht 263, where Anne wrote her last diary entry. The 12 boxes are accompanied by a very sensitive text written by the artist, who tried to put herself into the world of thought and emotion of Anne Frank. The text has been composed from the point of view of the diary: "People today can't even imagine, how it is to be confined and how much one would then miss all the beauty in this world […]"

„Mensch, du hast Recht(e)! – diese Losung ist also alles andere als selbstverständlich."

"You are right—you have rights!—a slogan which is not at all a matter of course."

Human, you are right!
—
Human, you have rights!

MENSCH, DU HAST RECHT(E)!

2015

Sponsors

William Blair & Company
Anne Frank Fonds
Frankfurter Rundschau
Phantasialand
Alexander Graf Lambsdorff,
Vize-Präsident des
Europäisches Parlaments

Preisträger*innen / Winners

→ **Markus Knöll (20)**, Offenbach

→ **Jakob Lauer (25)**, Stuttgart

→ **Viktoria Henkel (23)**, Berlin

→ **Milan Dangol (20)**, Offenbach

→ **Alexander Thiel (21)**, Offenbach

→ **Destina Atasayar (17)**, Frankfurt

→ **Marla Nunez Junker (17)**, Offenbach

→ **Johanna Hoffmann (22)**, Berlin

→ **Daniel Epple (17)**, Stuttgart

→ **Jennifer Wenzl (17)**, Sindelfingen

→ **Marieke Meinhard (13),
Lotta Lepczypski (14)
und Leonie Puschmann (14)**, Krefeld

→ **Sina Löhnert (15)**, Linden

→ **Kim Stefanie Schneider (15)**, Schenkelberg

Jury

Noah Sow,
Produzentin, Autorin, Aktivistin
(Hamburg)

Alexander Graf Lambsdorff,
Vize-Präsident des
Europäisches Parlaments
(Brüssel /Bonn)

Kamyar & Dzeko,
Rapper (Fulda)

Silke Wagner,
Künstlerin (Frankfurt)

Hans Sarpei,
Ex-Profi-Fußballspieler
(Köln)

Peter Rutkowski,
Redakteur Frankfurter
Rundschau (Frankfurt)

Nicole Broder,
Bildungsstätte Anne Frank
(Frankfurt)

Gerti Elias,
Ehefrau von Buddy Elias
(Basel)

Philipp Mohr,
William Blair & Company
(Frankfurt)

DE   Anne Frank beschreibt in ihrem Tagebuch ihre Sehnsucht nach einer Welt ohne Hass und Diskriminierung. Dieser Wunsch findet sich auch in den Menschenrechten wieder: Sie sollen uns schützen und allen ein friedliches Zusammenleben ermöglichen. Und dennoch: Millionen Menschen weltweit ist eine gute Zukunft verwehrt – sei es aufgrund ihrer Herkunft, ihres Aussehens, ihres Geschlechts, ihres schmalen Geldbeutels oder anderer Hürden und Barrieren.

Mensch, du hast Recht(e)!–diese Losung ist also alles andere als selbstverständlich. Und welche Rechte eine Gesellschaft überhaupt als besonders schützenswert anerkennt, darüber muss man sich immer wieder neu verständigen. Unter dem Motto „Mensch, Du hast Recht(e)! – Zeig' uns Deine Vision von einer Gesellschaft für alle" entwarfen mehr als 350 Jugendliche und junge Erwachsene aus ganz Deutschland Plakate, in denen sie sich mit der Frage auseinandersetzten, wie eine Gesellschaft aussehen könne, die allen ein gutes (Zusammen-)Leben ermöglicht. Die besten Ideen aus drei Alterskategorien wurden nicht nur beim großen Finale ausgezeichnet, an dem Noah Sow, Autorin und Jurymitglied, mit ihrer Rede „Kunst ist für alle da!" stark zum Empowerment der Jugendlichen beitrug. Eingang fanden die prämierten Ideen auch in den eigens für den Wettbewerb erstellten gleichnamigen Kunstkatalog.

EN   In her journal, Anne Frank describes her longing for a world without hatred and discrimination. This wish of hers is also represented in the human rights: they are there to protect every human being. Yet millions of people worldwide are denied a conducive future, be it because of their origin, their looks, their gender, their finances or other hurdles and barriers.

You are right—you have rights!—a slogan which is not at all a matter of course. And besides: which rights are recognized as particularly worthy of protection in a society? A question of ongoing debates. In accordance with the slogan "You are right—you have rights!—Show your vision of a society for all" more than 350 youth and young adults from all over Germany designed posters, in which they dealt with the question what a society could look like, which enables each one to live well, as an individual and in community with others. The best ideas within three age categories were lauded at the award ceremony. Also, at the grand finale, author and jury member Noah Sow held her empowering speech "Art Is For Everyone!" The awarded and other works were included in the art catalog with the same title, which was the outcome of that year's competition.

award ceremony 2015

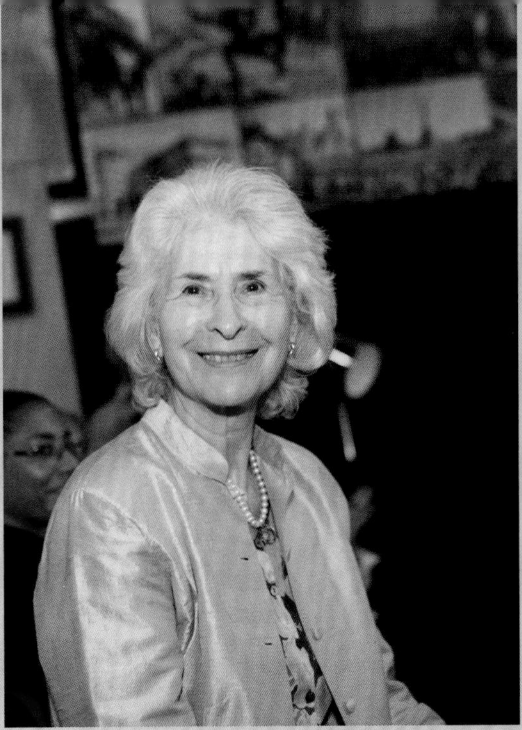

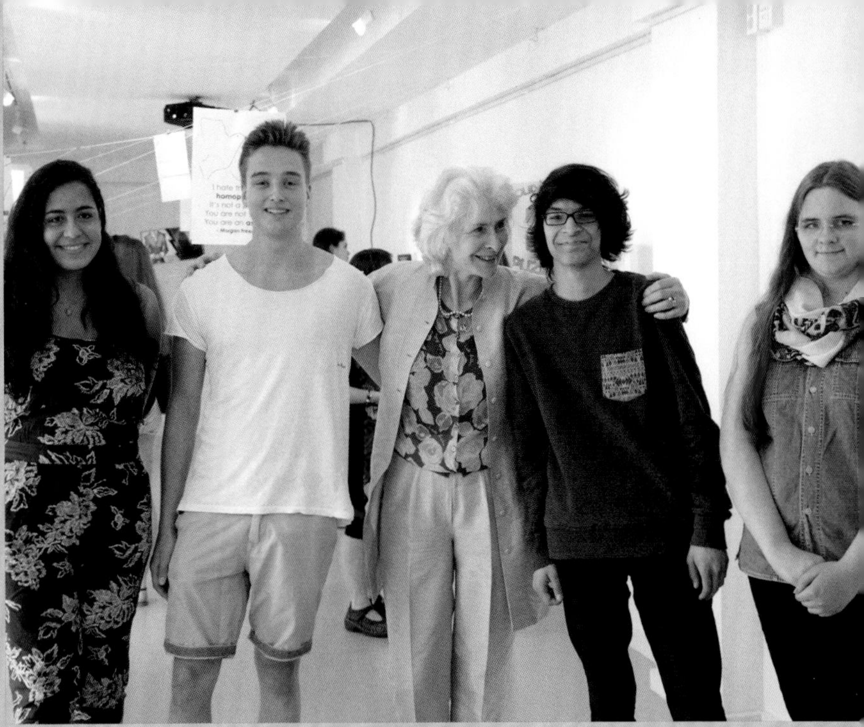

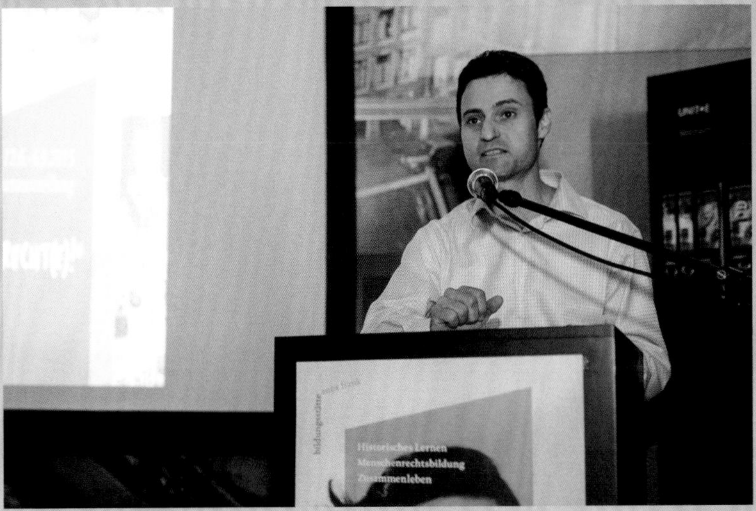

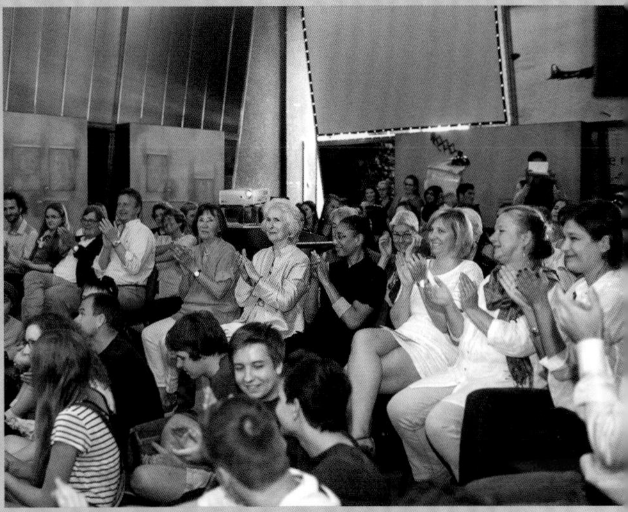

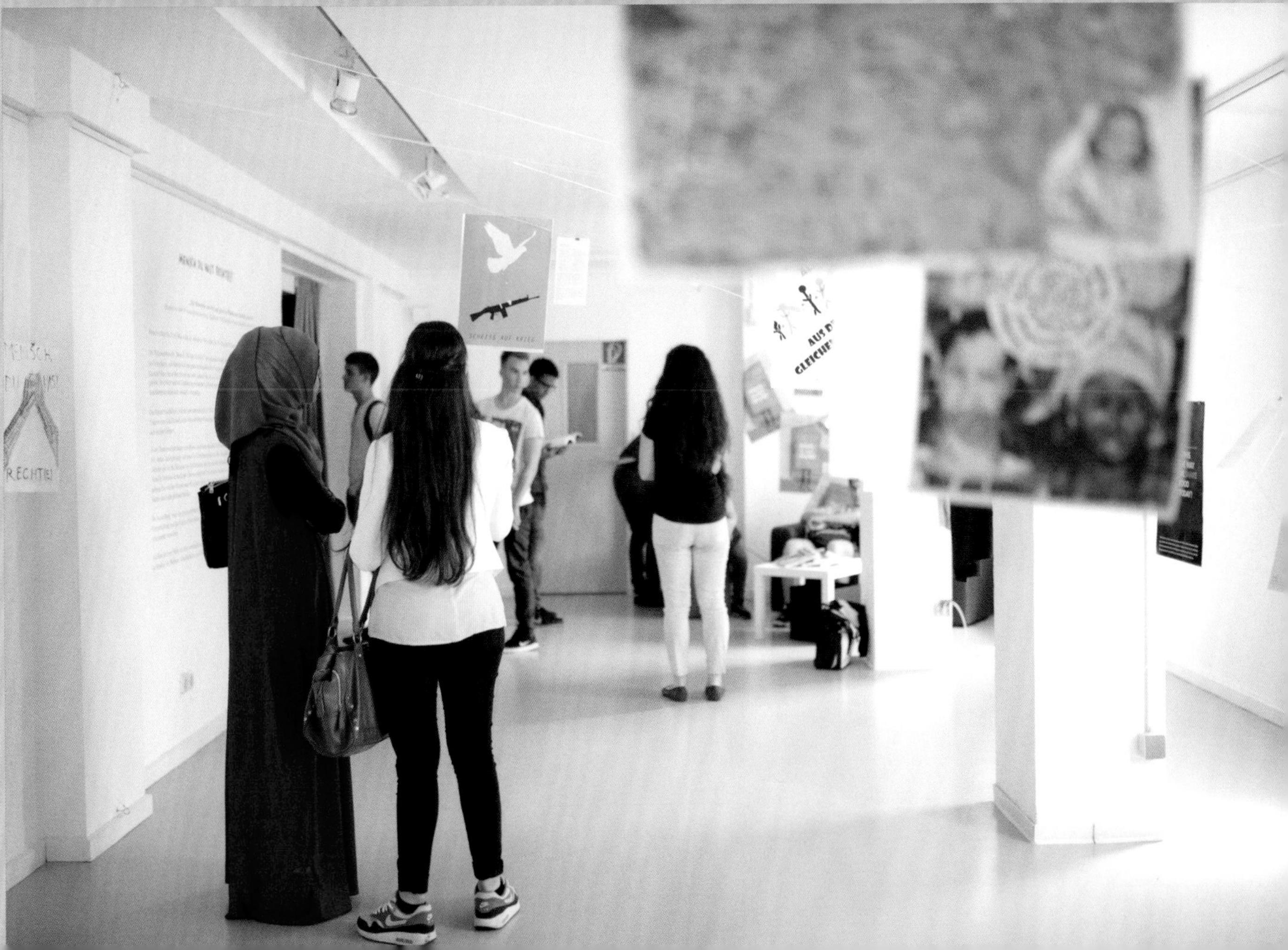

Für diesen Katalog wurde eine kuratierte Auswahl der
Wettbewerbsteilnehmer*innen ausgesucht. Im folgenden
Teil ist diese Auswahl für das Jahr 2015 abgebildet.

For this catalog, a curated choice of contestants was
selected. The following part shows this selection for
the year 2015.

🏆 Gewinner / Winner

SARAH MÜLLER

**ALTER/AGE
17**

**STADT/CITY
Stuttgart**

→ **Der Dominoeffekt**

→ **The Domino Effect**

DE „Viele Menschen wünschen sich eine bessere Welt, einige tun auch etwas dafür, doch viele leider nicht. Sie wissen nicht, wie sie etwas bewirken können und glauben, dass sie es alleine nicht schaffen.
Doch das ist falsch. Selbst die kleinste Hilfe oder eine einzige Tat eines Menschen kann andere inspirieren und eine unglaublich große Kettenreaktion auslösen, genau so wie Dominosteine. Tippt man einen Stein an, fallen alle anderen ebenfalls um und das nur wegen des einzelnen Steins, auch wenn man denkt, dass man selbst nicht viel verändern kann."

EN "Many people wish for a better world, some actually do something about it, but many unfortunately do not. They do not know what they can do and believe that as a single person they cannot achieve anything. This is not true. Even the smallest act by one person alone can inspire others and create a chain reaction, just like dominoes. If someone touches just one domino stone, all other stones are thereby put in motion; And all this happens just because of this one and first domino stone. I want to inspire people to start action, even if initially the may think that they alone could not make a change."

English summary of the poster's text:
A small movement
can make a big difference

Eine kleine Bewegung  kann großes bewirken

REGINA MAUL

ALTER/AGE
17

STADT/CITY
Sindelfingen

→ # Du hast das Recht auf Mitsprache

→ # You Have the Right to Have a Say

DE „Die Gebärdensprache ist die Ausdrucksform bzw. Sprachform für gehörlose und hörgeschädigte Menschen, dabei werden mit den Händen Laute, Silben oder sogar Worte ausgedrückt. Viele Gehörlose oder Hörgeschädigte empfinden die Gebärdensprache als ihre eigene Muttersprache. Sicherlich ist es keine leichte Herausforderung Menschen, die die eigene Sprache nicht sprechen können, oder gar Gehörlose in seinem Umfeld zu integrieren. Aber auch sie haben wie alle anderen Menschen die gleichen Rechte. Niemand möchte Ausgrenzung erfahren, stattdessen lieber Anteil an der Welt haben und zu den anderen dazugehören. Nur weil Gebärdensprachler*innen nicht reden können, ist das kein Grund ausgeschlossen zu werden. Auch sie haben das Recht gehört zu werden. Mehr noch; wer will denn nicht auch verstanden werden? Hierzu muss man nicht einmal die Gebärdensprache können. Der Mensch kommuniziert ebenfalls durch Körpersprache, Mimik und Gestik. Ich bin der Meinung, dass die Gebärdensprache eine ganz besondere Kommunikation ist. Gehörlose und hörgeschädigte Menschen haben gleichermaßen das Recht auf Mitsprache.“

EN "Sign language enables deaf and hearing impaired people to communicate; with their hands they can express sounds, syllables and even words. Many deaf and hearing impaired people see sign language as their mother tongue. It surely is no easy task to integrate people who cannot speak your language or people with hearing problems into your environment. But they do have the same rights just like any other human being. People want to have a sense of belonging and want to be part of the world, instead of being excluded. Not being able to speak with a voice and using sign language as the way of communication is by no means a reason for exclusion. Hearing impaired and deaf people have the right to be heard and even more so, understood. For this purpose, one does not have to know sign language since all people communicate with body language, mimics, and gestures as well.
In my opinion, sign language is a very special form of communication. Hearing impaired and deaf people also have the right to voice their opinion."

English summary of the poster's text:
You've got the right to be heard.

D U

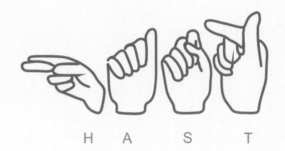

H A S T

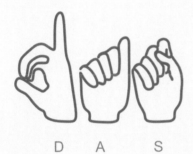

D A S

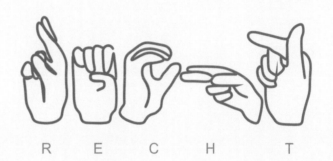

R E C H T

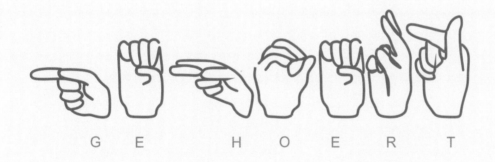

G E H O E R T

Z U

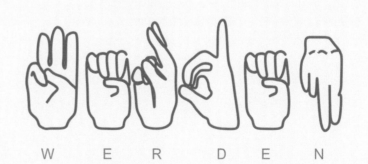

W E R D E N

MELISSA PUTIN

ALTER/AGE
17

STADT/CITY
Bonn

→ # I Hate the Word Homophobia

DE „Ich finde, das Thema Homophobie wird in unserer Gesellschaft verharmlost. Die Gesellschaft sollte alles und jede*n akzeptieren, unabhängig von der Hautfarbe oder der sexuellen Orientierung. Es ist Liebe, egal was die Gesellschaft davon hält. Liebe muss man ausleben können, ohne dabei von Menschen verurteilt zu werden."

EN "I think homophobia is trivialized in our society. Society should accept everything and everyone, regardless of skin color or sexual orientation. It is love, whatever society may say or think about it. One should be able to love without being judged by other people."

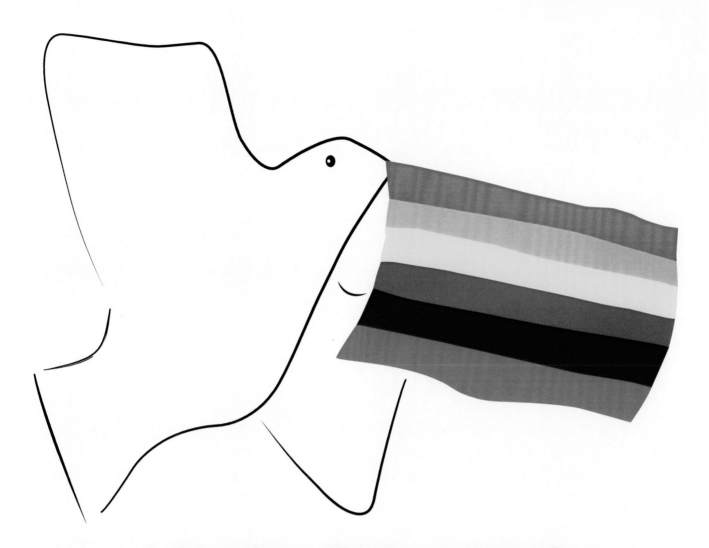

I hate the word
homophobia.
It's not a phobia.
You are not scared.
You are an **asshole.**
– Morgan Freeman

ALEXANDER THIELE

ALTER/AGE
21

STADT/CITY
Seligenstadt

→ # Die Würde des Menschen ist unan*touch*bar

→ # Human Dignity Is Untouchable

DE „Die Würde des Menschen ist unantastbar.
Dieser Artikel des Grundgesetzes ist jedem
geläufig, doch vielleicht auch schon veraltet.
Durch die stetig voranschreitende Digitali-
sierung, innerhalb der letzten zwanzig Jahre, ist
die Hemmschwelle zur Verletzung der Privat-
sphäre anderer gesunken. Cybermobbing ist
Alltag.
Und im Gegensatz zu wörtlicher oder körperlicher
Verletzung anderer, hat unsere Gesellschaft
eine wesentlich größere Akzeptanz bei digitaler
Diffamierung. Dass wir ebenfalls rechtlich vor
dieser Belästigung, Bedrängung und Nötigung
über elektronische Medien geschützt sind –
genau darauf weist mein Plakat hin."

EN "Human dignity is inviolable. This article from
our constitution is familiar to everyone, but
perhaps a bit outdated. Through the advanc-
ing digitalization of the past 20 years, it has
become easier to invade the privacy of others.
Cyberbullying is common place. But unlike
with physical violence or discrimination, digital
defamation is far more often accepted. My
poster points out that the law also protects us
against online discrimination, oppression and
coercion by electronic devices."

English summary of the poster's text:
Article 12
No one shall be subjected to arbitrary interference with his
privacy, family, home or correspondence, nor to attacks
upon his honour and reputation. Everyone has the right to the
protection of the law against such interference or attacks.

DIE WÜRDE DES MENSCHEN IST UNAN*TOUCH*BAR

Artikel 12

Niemand darf willkürlichen Eingriffen in sein Privatleben, seine Familie, seine Wohnung und seinen Schriftverkehr oder Beeinträchtigungen seiner Ehre und seines Rufes ausgesetzt werden.

MARKUS KNÖLL

ALTER/AGE
20

STADT/CITY
Offenbach am Main

→ **Wirklich teilen!**

→ **Really Sharing!**

DE Das Bild zeigt eine obdachlose Person mit einem Schild vor sich „obdachlos und hungrig, bitte hilf". Im Vordergrund wird eine appetitlich zubereitete Mahlzeit auf Instagram geteilt. Ist das die Art, wie wir heutzutage Essen teilen? Während wir uns über unsere Smartphones auf allerlei sozialen Netzwerken Bilder von perfekt zubereitetem Essen zuschicken, hungern weltweit fast eine Milliarde Menschen und sterben oft an den Folgen der Unterernährung. Es wird Zeit, über den Smartphone-Rand in die Welt hinaus zu sehen und das Problem anzugehen.

EN The image shows a homeless person with a sign in front of him "homeless and hungry, please help." In the foreground, an appetizingly prepared meal is shared on Instagram. Is this the way we share food these days? While we send each other pictures of perfectly prepared food via our smartphones on all kinds of social networks, almost a billion people worldwide are starving and often die as a result of malnutrition. It is time to look beyond the smartphone edge into the world and tackle this problem.

English summary of the poster's text:
While we send us pictures of perfectly prepared food via our smartphones on all kinds of social networks, almost a billion people worldwide are starving and often die as a result of malnutrition. It is time to look beyond the smartphone edge into the world and tackle this problem.

Während wir uns über unsere Smartphones auf allerlei sozialen Netzwerken Bilder von perfekt zubereitetem Essen zuschicken, hungern weltweit fast eine Milliarde Menschen und sterben oft an den Folgen der Unterernährung. Es wird Zeit, über den Smartphone-Rand in die Welt hinaus zu sehen und das Problem anzugehen.

JENNIFER WENZL

ALTER/AGE
17

STADT/CITY
Weil im Schönbuch

→ **Wir sind alle aus dem gleichen Strang**

→ **We Are All from the Same Strand**

DE „Um eine bessere Zukunft zu haben dürfen wir keine Unterschiede zwischen Menschen machen. Alle müssen gleich behandelt werden, egal ob Frau oder Mann, ob dick oder dünn, ob weiß oder schwarz – jede*r hat dieselben Rechte! Man sollte bereits im Kindesalter unterrichten, dass es keine Unterschiede gibt, sondern alle gleich sind."

EN "For a better future, we should not make differences between people. All people must be treated equally, whether male or female, whether fat or thin, whether black or white—everyone has the same rights! One should already teach kids that there are no differences but that we are all equal."

MARIANNE DREWS, BENEDIKT KARTENBERG, LISA MERK

ALTER/AGE
24, 28, 28

STADT/CITY
Münster

→ # Die Welt ist kein Planschbecken

→ # The World is Not a Pool

DE Wasser bedeutet für unsere westliche Gesellschaft vor allem Positives: Hygiene, Gesundheit, Überfluss. Es gibt aber auch Konflikte: regional bedingte Wasserknappheit, stetig steigender Wasserverbrauch und Klimawandel. Wasser ist überlebenswichtig und wird deshalb allzu oft politisiert und ideologisiert.
Wird der Zugang zu Wasser eingeschränkt, wie durch Übernutzung, unfaire Verteilung, Verschmutzung, Handel oder aus politischen Gründen, droht ein Verfall des Lebensstandards, was zu massiven, auch grenzüberschreitenden Spannungen führt.

EN Water resonates positively in our western society: it stands for hygiene, health, affluence. But there are conflicts: scarcity of water in some regions, ever increasing water consumption and climate change. Water is pivotal and therefore susceptible to politicization and ideologization.
When access to water is restricted, for example by over-exploitation, unfair distribution, pollution, trade or because of political reasons, society's living standards will decrease which may lead to massive territorial conflicts—across borders."

English summary of the poster series' text:
1. WATER IS HOME. 270,000 different animals and plants live in water. Each hour 700 tons of waste is dumped into the oceans. In the Pacific billions of small plastic particles form a garbage carpet of the size of Western Europe. There is no question, that this does not only change life in the ocean, but will have long lasting damaging effects in general. So what can we do?
2. WATER IS THE OBJECT OF CONFLICT. Water is for everyone. Global water conflicts increasingly determine the daily lives of many people, for example in Africa. The Nile is the longest river on Earth and passes through seven countries, all of which claim access to its essential and vital waters. Construction of dams and strong population growth lead to water emergencies and conflicts. What can we do in such a situation?
3. WATER IS NOT A GAME. Water is a fundamental right, not a commodity. Assessments say that in 15 years, two-thirds of the world's population will not have access to clean drinking water. One of the reasons for this is that well-known food companies claim and trade all water resources worldwide. This creates a power play between consumers and corporations in the long term. How can we defend ourselves against this dependency?

WASSER
IST HEIMAT.

270.000 Tier- und Pflanzenarten leben im Wasser.

Stündlich landen 700 Tonnen Müll in den Weltmeeren. Im Pazifischen Ozean bilden Milliarden Plastikteile einen Müllteppich so groß wie Westeuropa. Dass das nicht nur das Leben im Meer verändert, sondern auch längerfristige Schäden mit sich bringt, steht außer Frage.

Was können wir tun?

WASSER
IST KONFLIKTSTOFF.

Wasser ist für alle da.

Weltweite Wasserkonflikte bestimmen
zunehmend den Alltag vieler
Menschen, beispielsweise in Afrika:
Der Nil ist der längste Fluss der
Erde und führt durch sieben Länder,
die alle Anspruch auf das lebens-
notwendige Wasser erheben.
Der Bau von Staudämmen und der
starke Bevölkerungszuwachs führt zu
Wassernotstand und Konflikten.

Wie gehen wir mit der Situation um?

Marianne Drews, Benedikt Kartenberg, Lisa Merk

WASSER
IST KEIN SPIEL.

Wasser ist ein Grundrecht, kein Handelsgut.

Einschätzungen sagen, dass in 15 Jahren zwei Drittel der Weltbevölkerung keinen Zugang zu sauberem Trinkwasser haben. Einer der Gründe dafür ist, dass bekannte Lebensmittelkonzerne sämtliche Wasserressourcen weltweit für sich beanspruchen und Handel damit betreiben. Dadurch entsteht langfristig ein Machtspiel zwischen Verbraucher und Konzernen.

Wie können wir uns gegen diese Abhängigkeit wehren?

JAKOB LAUER

→ **ohne Titel**

→ **untitled**

ALTER/AGE
25

STADT/CITY
Stuttgart

DE „Der Zugang zu sauberen Trinkwasser und Sanitär-anlagen wurde von den Vereinten Nationen zum Menschenrecht erklärt. Leider kann ungefähr ein Drittel der Menschheit nicht von diesem Recht Gebrauch machen. Dabei ist Wasser über-lebenswichtig.
Fehlt Wasser, so geht es Menschen schlecht, Ungleichheit macht sich breit: ein Nährboden für Kriege und Konflikte. Es darf nicht privati-siert werden und von profitorientierten Weltkon-zernen für teures Geld an Menschen verkauft werden, die nicht die finanziellen Möglichkeiten haben, in Flaschen abgefülltes Wasser zu kau-fen. Wasser ist Leben und deshalb ein Recht für alle Menschen."

EN "Access to clean drinking water and sanitations has been declared a human right by the United Nations. Unfortunately, one third of the world population is not in the position to exercise this right. And yet, water is a matter of survival. When water is missing, people live badly, inequal-ity is spreading and a breeding ground for conflict and war. Water should not be privatized and sold to people without financial capacities to buy bottled water from profit-oriented global corporations. Water is life and therefore a right for everyone."

English summary of the poster's text:
Water is a human right

DANIEL EPPLE

ALTER/AGE
17

STADT/CITY
Stuttgart

→ # Alle Menschen sind frei und …

→ # All Human Beings Are Born Free and …

DE „Das Plakat stellt die Erde hinter einem Paragraphen in den Weiten des Weltalls dar. Die Welt ist sozusagen hinter den Gesetzen verschlossen und in Sicherheit. Nur leider ist es in der Realität nicht so, es sollten Menschenrechtsgesetze für die komplette Welt gelten, damit niemand vernachlässigt wird und dabei deren Würde beachtet wird.
Das Zitat „Alle Menschen sind frei und gleich an Würde und Rechten geboren. Sie sind mit Vernunft und Gewissen begabt und sollen einander im Geiste der Brüderlichkeit begegnen" ist aus den UN-Menschenrechtsgesetzen."

EN "The poster depicts the earth in the vastness of space behind a paragraph sign. One could say that the world is protected by the law and therefore safe. Unfortunately it is not like that in reality; there should be human right laws for the whole world, so that no one is neglected and everyone's dignity is respected.
The citation "all human beings are born free and equal in dignity and rights. They are endowed with reason and conscience and should act towards one another in a spirit of brotherhood" is taken from the Universal Declaration of Human Rights."

English summary of the poster's text:
All human beings are born free and equal in dignity and rights. They are endowed with reason and conscience and should act towards one another in a spirit of brotherhood.

Alle Menschen sind frei und gleich an
Würde und Rechten geboren...

Sie sind mit Vernunft und Gewissen begabt und
sollen einander im Geiste der Brüderlichkeit begegnen.

JOHANNA HOFFMANN

ALTER/AGE
22

STADT/CITY
Berlin

→ **Schiffe versenken**

→ **Battleship**

DE „Seit dem Jahr 2000 sind mindestens 23.000 Menschen bei Einwanderungsversuchen nach Europa ums Leben gekommen. Die Agentur Frontex ist seit 2004 dafür zuständig, die Außengrenzen der Europäischen Union zu überwachen und vor illegaler Einwanderung zu „schützen". Die Einwanderungspolitik der EU ist selektiv: Politisch verfolgten Flüchtlingen wird unter verschiedenen Umständen Asyl gewährt, Wirtschaftsflüchtlingen nicht. Menschen flüchten nicht ohne Grund. Die Menschen, die in den EU-Mitgliedsstaaten ankommen, sind Überlebende. In Europa werden sie illegalisiert. Und kriminalisiert. Nach dem 2. Weltkrieg war das uneingeschränkte Recht auf Asyl ein unerlässliches und zweifellos wichtiges Recht der Menschen, die nach Deutschland kommen wollten. Mit den Verschärfungen des Asylrechts von 1993 wurde dieses Recht faktisch abgeschafft.

Mit meiner Arbeit möchte ich auf die gefährliche Willkür der europäischen Außenpolitik aufmerksam machen. Flüchtlingspolitik ist kein Spiel, das uneingeschränkte Recht auf Asyl ist ein Menschenrecht."

EN "Since 2000, at least 23,000 people have died while trying to immigrate into the European Union. Since 2004 the Frontex Agency has been responsible for the surveillance of the outer borders of the European Union and the 'protection' from illegal immigration. The immigration policy of the EU is selective: political refugees receive asylum under various circumstances, but economical refugees do not. People do not seek refuge without a reason. The people, who arrive in the member states of the EU, are survivors. In Europe, they are turned into illegal and criminal entities. After the Second World War the right to asylum was uncoditional and quintessential to those, who sought refuge in Germany. In 1993, when the asylum laws were tightened, the right to seek asylum was practically abolished.

With my work I want to draw attention to the dangerous arbitrariness which characterizes the EU's foreign policy. Refugee policy is not a game; the unrestricted right to seek asylum is a human right."

FRONTEX

KIM STEFANIE SCHNEIDER

→ # Friedensnobelpreis für die EU

→ # Nobel Peace Prize for the EU

DE „Das Bild zeigt, wie widersprüchlich es ist, der Europäischen Union einen Friedensnobelpreis zu verleihen, während im Mittelmeer bereits mehrere Flüchtlingsschiffe versunken sind und immer noch, fast täglich, versinken. Es verstößt gegen alle Menschenrechte, Kriegsflüchtlinge ertrinken zu lassen und sämtliche Hilfsprogramme zu kürzen und finanziell einzuschränken, obwohl relativ wohlhabende Länder wie Deutschland durchaus in der Lage wären, diese zu unterstützen.
Ich finde, dass es völlig absurd ist, der EU den besagten Preis zu verleihen, wenn sich so etwas direkt vor unseren Küsten abspielt und wir weiterhin der Asylpolitik und den Missständen in diesem Bereich keine Aufmerksamkeit schenken."

EN "The image shows how contradictory it is that the EU received a Nobel Peace Prize, while many refugee boats have already sunk in the Mediterranean Sea and, so it seems, are still sinking on a daily basis. It is in breach with all human rights to let war refugees drown and to cut aid programs and finances, although quite affluent countries as Germany could easily assist. I find it completely absurd to accord the EU such a prize, when incidents like the above happen directly at our coast lines and we continue to shove these issues away."

English summary of the poster's text:
Nobel Peace Price for the EU
Meanwhile on the Mediterranean Sea …

MARLA NUÑEZ JUNKER

→ **Zwei Welten**

→ **Two Worlds**

ALTER/AGE
17

STADT/CITY
Offenbach am Main

DE Auf dem Bild wird die Gedankenwelt der Anne Frank gezeigt. Die Welt ist zweigeteilt – auf der rechten Seite eine schöne, heile Welt mit viel Freude, einer intakten Natur, in der Menschen und Tiere in Frieden miteinander und untereinander leben. Ein Fluss trennt die intakte Welt von der trostlosen Welt, die geprägt ist von Armut, Elend und Umweltverschmutzung. Das Werk ist sehr kleinteilig und detailliert gestaltet und lädt dazu ein, sich länger damit zu beschäftigen. Immer wieder entdeckt man neue Dinge, die zum Nachdenken anregen.

EN This picture shows, the world of thought of Anne Frank. The world is divided into two parts—on the right a beautiful, wholesome world with a lot of joy, an intact nature in which people and animals live in peace with one another. A river separates the intact world from the desolate world, which is marked by poverty, misery and pollution.
The artwork is drawn very meticulously and invites the viewer to deeply dive into its content. Over and over you discover something new, inviting you to further thoughts.

Friedens
nobelprei
für die
EU

Kim Stefanie Schneider

Währenddessen im Mittelmeer...

MARLA NUÑEZ JUNKER

MARIEKE MEINHARD, LOTTA LEPCZYPSKI, LEONIE PUSCHMANN

**ALTER/AGE
13, 14, 14**

**STADT/CITY
Krefeld**

→ # Menschenrechte

→ # Human Rights

DE „Das Bild zeigt eine Einheit von Menschen, die alle aus verschiedenen Regionen kommen. Mit dem Plakat wollen wir ausdrücken, dass alle Menschen unterschiedlich sind, trotzdem aber zusammen gehören. Die Schatten im Hintergrund drücken die Menschenvielfalt aus."

EN "The image shows people united; they come from different areas of the world. With this poster we want to show that all people are different, and yet they belong together. The circle in the middle shows the ideals we wish for humanity, so that all enjoy their rights. The shadows in the background express the diversity of people."

English summary of the poster's text:
freedom of speech, labour, sharing, peace, freedom, equality, non-violent, education, love, health, religious freedom, rights, freedom of press, life, friendship, participation, democracy, unity

VIKTORIA HENKEL

ALTER/AGE
23

STADT/CITY
Berlin

→ # Opfer von Frauenhandel

→ # Victims of Trafficking in Women

DE „Menschenhandel gehört leider keineswegs der Vergangenheit an. In den meisten Fällen ist es Frauenhandel. In Deutschland waren es im Jahr 2011 über 600 erkannte Opfer. Die Mädchen sind minderjährig, oft nicht mal 14 Jahre alt und stammen aus anderen Ländern. Sie werden verschleppt und versklavt. Das alles ist mit erheblichen Gewalterfahrungen verbunden. Wenn die Opfer am Leben bleiben, schweigen sie aus Scham oder Angst. Die Plakatserie soll die Aufmerksamkeit auf dieses Problem lenken. Auf den Plakaten sind Frauensymbole als Ware dargestellt. Sie wird gekauft, weitergegeben, wiederbenutzt, entsorgt."

EN "Unfortunately human trafficking does not at all belong to the past. In most cases it is trafficking in women. In Germany there were more than 600 recognized victims in 2011. The girls are underage, often not even 14 years old, and from other countries. They are abducted and enslaved. All this goes along with considerable experience of violence. If the victims stay alive, they keep silent out of shame or fear. The poster series is intended to draw attention to this problem. The posters show women's symbols as merchandise. Woman as merchandise is bought, passed on, reused, and disposed of."

OPFER VON FRAUENHANDEL

OPFER VON FRAUENHANDEL

OPFER VON FRAUENHANDEL

OPFER VON FRAUENHANDEL

DESTINA ATASAYAR

ALTER/AGE
17

STADT/CITY
Frankfurt am Main

→ # Girls Just Want to Have *Fun*damental Rights

DE „Religions-, Meinungs-, Chancen-, Berufs- und Gewissensfreiheit, … Diese für uns selbstverständlichen Artikel aus dem Grundgesetz gelten für viele Mädchen nicht. Sie wollen wie jede/r andere Spaß und die Freiheiten haben, statt durch das Patriarchat eingeschränkt zu sein. […] Die Gleichberechtigung zwischen Mann und Frau soll nicht mehr bloß eine Theorie sein; und so viele Fortschritte man auch in diesem Gebiet gemacht hat – es heißt noch lange nicht, dass dieser Kampf vorbei ist.“

EN "It ist the 21st century—but still, women suffer from different kinds of discrimination due to their gender. Cat calls and insults, domestic violence and rape, child marriage and legal inequalities … the list is long. Freedom of religion, speach, occupational choice and conscience, … These parts of the constitution that are so natural to us, do not apply for all girls. Like every other person, they want to have fun and freedom, instead of being limited by patriarchy."

*Girls
just want
to have Fun-*
**DAMENTAL
RIGHTS**

„Diese Menschen packen in ihre, Koffer keine Sonnencreme, keinen Bikini ... sie packen ihr gesamtes Leben ein, all die Rechte die ihnen zustehen sollten, mit der Hoffnung, sie an einem neuen Ort endlich auspacken zu dürfen."

"These people pack no sun lotions and no bikinis into their 'bags' ... they pack their entire lives and all the rights they deserve, hoping they will finally be able to unpack them in a new place."

Place of refuge

FLUCHT.
PUNKT

2016

Preisträger*innen / Winners

→ **Anna-Sophie Böschek (24)**, Allgäu

→ **Kimberly Hetsermann (21)**, Erlensee

→ **Svenja Rogotzki (19) und Marla Kopp (19)**, Frankfurt

→ **Anna Eiser (18)**, Taunusstein

→ **Ragnar Sieradzinski (19), Bo Gerlach (20) und Carlos Marcel Perdomo Cabrera (19)**, Kiel

→ **Debora Meyer**, Vogt

→ **Felix Baumgärtner (20) und Alexandra Pregler (18),** Oberpfalz

Sponsors

William Blair & Company
Hessischer Flüchtlingsrat
Pro Asyl
Project Shelter
bpb: Bundeszentrale für politische Bildung
Anne Frank Fonds
Anne Frank Haus
Karl Marx Buchhandlung
Phantasialand
MiGAZIN
Frankfurter Rundschau

Jury

Günter Burkhardt,
Geschäftsführer Pro Asyl
(Frankfurt)

Parastou Forouhar,
Künstlerin (Offenbach)

André Leipold,
Chefdramaturg des Zentrums
für Politische Schönheit
(Berlin)

Aylin Kortel,
Bildungsstätte Anne Frank
(Frankfurt)

Rex Osa,
Geflüchtetenberater
und Aktivist (Stuttgart)

Célia Sasic,
Ex-Profi-Fußballspielerin
(Lahnstein)

Philipp Mohr,
William Blair & Company
(Frankfurt)

DE Die Themen Flucht und Asyl prägten das Jahr 2016 besonders stark – gesellschaftlich und medial. Während in der Debatte Begriffe wie „Krise" und „Welle" fielen, rückten die Schicksale der betroffenen Menschen oft in den Hintergrund. Rassistische Ressentiments gegen Geflüchtete und Migrant*innen wurden verstärkt in die Öffentlichkeit getragen, aber es gab auch Stimmen, die sich auf ganz unterschiedliche Weise für die Rechte von Geflüchteten stark machten.

Daher machten wir im dritten Jahr unseres Kunstwettbewerbs Flucht und Asyl zum Thema. Mehr als 500 junge Künstler*innen aus ganz Deutschland brachten mit Plakaten und knackigen Slogans auf den Punkt, was sie am Jetzt stört und was sie sich für die Zukunft wünschen.

Die Rechte von Geflüchteten standen dabei im Mittelpunkt der künstlerischen Auseinandersetzungen. Neben der Preisverleihung wurde in diesem Jahr noch ein Sonderpreis vergeben, dessen Gewinnerin mit ihrem Plakat ihr besonderes Augenmerk auf das Thema Menschenrechte richtete:

„Flüchtlinge haben Rechte. Und dazu gehören auch die allgemeinen Menschenrechte. Diese Menschen packen in ihre „Koffer" keine Sonnencreme, keinen Bikini ... sie packen ihr gesamtes Leben ein, all die Rechte die ihnen zustehen sollten, mit der Hoffnung, sie an einem neuen Ort endlich auspacken zu dürfen."

EN The issues of refuge and asylum were particularly important in 2016—in media and in society. While terms such as "crisis" and "wave" drew much attention in the debate, the fates of those affected often were rather ignored. In addition to racist resentments against refugees and migrants, which were increasingly thrown in the public arena, there were also voices advocating for the rights of refugees in many different ways.

Therefore we decided to focus on refuge and asylum as topics in the third year of the Youth Art Competition of the Anne Frank Educational Centre. More than 500 young artists from all over Germany came up with posters and catchy slogans on what bothers them about the present and what they want for the future. Refugee rights were the focus of the artistic examination and argument.

In addition to the established awards, that were given the years before, a special award was allocated. In her poster the winner of this special award focused on human rights:

"Refugees have rights, and that includes universal human rights. These people pack no sun lotions and no bikinis into their 'bags'... they pack their entire lives and all the rights they deserve, hoping they will finally be able to unpack them in a new place."

HEUTE ADAM UND EVA
flüchteten aus dem Paradies

MOHAMMED SIND
flüchtete nach Medina

MEHR SITTING BULL
flüchtete nach Kanada

ALBERT EINSTEIN ALS
flüchtete nach Princeton

60.000.000 KARL MARX

ANNE FRANK MENSCHEN
flüchtete nach London

flüchtete in ein Hinterhaus

AUF DER RITA ORA

DER DALAI LAMA FLUCHT
flüchtete nach England

flüchtete nach Indien

MALALA YOUSAFZAI
flüchtete nach Großbritannien

Plakatwettbewerb der
Bildungsstätte Anne Frank
Gewinne spannende Preise –
z.B. ein MacBook Pro!
Einsendeschluss: 13. Mai 2016

Für diesen Katalog wurde eine kuratierte Auswahl der Wettbewerbsteilnehmer*innen ausgesucht. Im folgenden Teil ist diese Auswahl für das Jahr 2016 abgebildet.

For this catalog, a curated choice of contestants was selected. The following part shows this selection for the year 2016.

Gewinner / Winner

KIMBERLY HESTERMANN

→ **ohne Titel**

→ **untitled**

ALTER/AGE
21

STADT/CITY
Erlensee

DE „Deutschland ist ein sehr reiches Land, reich an Sicherheit und Versorgung. Mit meinem Plakat möchte ich verdeutlichen, dass wir genug Platz haben Menschen aufzunehmen, die sich in ihrem eigenen Land nicht mehr sicher fühlen.
Daraus kann man eine ganze Serie von Plakaten gestalten. Denn es ist auch genug Geborgenheit, Nahrung und Wasser vorhanden. Ich möchte mit meinem Plakat die Menschen zum Teilen auffordern."

EN "Germany is a very rich country, rich in security and supply. With my poster, I want to demonstrate that we have enough space to accommodate people who no longer feel safe in their own country.
From this you can design a whole series of posters. Because there is also enough security, food and water available. With my poster I want to encourage people to share."

English summary of the poster's text:
Unbelievably plenty of room!

VER

FLUCHT

VIEL
PLATZ!

KIMBERLY HESTERMANN

RAGNAR SIERADZINSKI, BO GERLACH,
CARLOS MARCEL PERDOMO CABRERA

ALTER/AGE
19, 20, 19

STADT/CITY
Kiel

→ **Bewohner**

→ **Resident**

DE „Das eint uns alle: Wir sind die Menschen. Die Bewohner der Erde. Symbolisiert in einem weltweiten Reisepass für die Menschen, die in ihrer Heimat nicht mehr länger bleiben können. Für die, die Hilfe brauchen. Für die, die zu uns gehören. Für die, an deren Stelle wir morgen stehen könnten."

EN "That unites us all: We are the people, the inhabitants of the earth, symbolized in a worldwide passport for those who can no longer stay in their home country, for those who need help, for those who belong to us. For those, in whose shoes we might walk tomorrow."

English summary of the poster's text:
Refugees, inhabitants of the earth; Passport; "Liberation from oppression is a human right and the ultimate goal of every free person." – Nelson Mandela

FLÜCHTLINGE

Bewohner der Erde

REISEPASS

»Die Befreiung von der Unterdrückung ist ein Menschenrecht
und das höchste Ziel jedes freien Menschen.«

- Nelson Mandela

ANNA-SOPHIE BÖSCHEK

ALTER/AGE
24

STADT/CITY
Heimertingen

→ # Ich packe meinen Koffer

→ # I Pack My Bags

DE „Flüchtlinge haben Rechte. Und dazu gehören auch die allgemeinen Menschenrechte. Diese Menschen packen in ihre ‚Koffer' keine Sonnencreme, keinen Bikini … sie packen ihr gesamtes Leben ein, all die Rechte die ihnen zustehen sollten, mit der Hoffnung sie an einem neuen Ort endlich auspacken zu dürfen."

EN "Refugees have rights. And that includes universal human rights. These people pack no sun tan lotion, no bikinis into their 'bags' … they pack their entire lives, and all the rights they deserve, hoping they will finally be able to unpack them in a new place."

English summary of the poster's text:
Human rights for example freedom, protection, culture, education, family, ownership…
I pack my bags and take with me.

ICH PACKE MEINEN KOFFER UND NEHME MIT.

ANNA EISER

ALTER/AGE
17

STADT/CITY
Taunusstein

→ **Fluchtweg**

→ **Escape Route**

DE „Die EU schottet ihre Außengrenzen gegen Flüchtlinge ab. Und das, obwohl seit dem Jahr 2000
mehr als 35.000 Menschen auf der Flucht vor
Krieg, Verfolgung und Elend umgekommen sind.
Gleichzeitig gelten für die ‚Fluchtwege' in Ge-
bäuden sehr strenge Auflagen, hier wird also die
Dringlichkeit eines offenen Fluchtweges erkannt.
Mein Plakat soll zeigen, dass wir auch für Ver-
folgte und Geflüchtete offene Türen brauchen!"

EN "The EU is sealing its external borders against
refugees, despite the fact that, since 2000,
more than 35,000 people have died fleeing war,
persecution and misery. At the same time,
very strict safety regulations apply to 'escape
routes' in buildings, the urgency of an unob-
structed escape route is recognized in this con-
text. My poster is to show that we need open
doors for the persecuted and the refugees as
well!"

English summary of the poster's text:
Keep escape route free. We need open doors for
persecuted people.

FLUCHTWEG FREIHALTEN

Wir brauchen offene Türen für Verfolgte

ABDELKADER OUCHÈNE

ALTER/AGE
22

STADT/CITY
Offenbach am Main

→ **ohne Titel**

→ **untitled**

DE „Solange die Ländergrenzen als Sinnbild für etwas Notwendiges zur Erhaltung von Ordnung und System fungieren, wird das Problem der Diskriminierung weiterhin bestehen. Man muss sich vom Gedanken der Grenzen losreißen und die Welt und die Bewohner als gesamtes einheitliches Konstrukt sehen."

EN "As long as the borders of a country act as a symbol of something necessary to maintain rule and order, the problem of discrimination will persist. You have to break away from the idea of boundaries and develop the notion of the world and its inhabitants as a whole entity."

English summary of the poster's text:
Borders created by human beings, source of all conflicts—borders are so 1989.

grenzen

von menschen erschaffen

ursprung aller konflikte

grenzen sind sowas von 1989

DANIEL MEIER

ALTER/AGE
23

STADT/CITY
Bünde

→ # Jeder hat das Recht

→ # Everybody Has the Right

DE „Mit meinem Plakat möchte ich zeigen, dass jeder, egal welche Nationalität oder kulturellen Hintergrund man aufweist, egal wie sie oder er aussieht, oder was man trägt, das Recht auf Asyl hat."

EN "With my poster, I want to show that no matter what your nationality or cultural background, no matter what you look like or what you wear, everyone has the right to asylum."

English summary of the poster's text:
"Everyone has the right to seek and enjoy asylum from persecution in other countries." (Article 14, The Universal Declaration of Human Rights)

"Jeder hat das Recht, in anderen Ländern
vor Verfolgung Asyl zu suchen und zu genießen."

(Art. 14, Allgemeine Erklärung der Menschenrechte)

DEBORA MEYER

→ # Ein Junge liegt am Strand

→ # A Boy Lies on the Beach

DE „Wir werden von den Medien überflutet mit Flüchtlingsthemen und sind übersättigt von Bildern, die uns gar nicht mehr schockieren. Googelt man den Satz ‚Ein Junge liegt am Strand', erscheint das Foto vom dreijährigen Aylan Kurdi, der auf der Flucht über das Mittelmeer ertrank und das dadurch zu trauriger Berühmtheit gelangte. Das Plakat gibt dem Betrachter eine Pause von der Überreizung durch die Medien und ermöglicht es ihm, eigene Fragen zu stellen."

EN "We are flooded by the media with refugee issues and are oversaturated with images that do not shock us anymore at all." Googling the phrase 'A boy lies on the beach', the sadly famous photo of three-year-old Aylan Kurdi appears, who drowned on his flight across the Mediterranean. This poster gives the viewers a break from over-stimulation by the media and allows them to ask questions of their own."

English summary of the poster's text:
A boy lies on the beach
Don't you think we're all the same, no matter where we come from? Can't everyone live the way they want? Shouldn't everyone have the right to a beautiful life? Are we all egotists? What is actually the most important thing in life? Why should some people be better off than others? Why shouldn't everyone be free on our common earth? Why do you think badly about people you don't know? Is it ok to hurt people? Do you think our world is always about power and money?

EIN JUNGE
LIEGT AM STRAND

Findest du nicht, dass wir alle gleich sind, egal woher wir kommen? – Darf nicht jeder so leben wie er möchte? – Sollte nicht jeder das Recht auf ein schönes Leben haben? – Sind wir alle Egoisten? – Was ist eigentlich das Wichtigste im Leben? – Warum soll es manchen Menschen besser gehen als anderen? – Wieso soll nicht jeder auf unserer gemeinsamen Erde frei sein? Warum denkt man schlecht über Menschen, die man nicht kennt? – Ist es in Ordnung, Menschen zu verletzen? – Findest du, dass es in unserer Welt immer um Macht und Geld geht?

FELIX DAUFRATSHOFER

ALTER/AGE
20

STADT/CITY
Mindelheim

→ # Siehst du meinen Weg, oder nur meine Ankunft?

→ # Do You See My Journey, or Just My Arrival?

DE „Der Geflüchtete, der hier ankommt, ist kein Fremder, sondern, wie jeder andere auch: Mensch. Daher auch der Satz: „Jeder hat das Recht auf ein menschenwürdiges Leben."Unser höchstes Gut sollte nicht mit Füßen getreten werden, auch nicht mit denen des Rassismus, Irrglaubens, der Fehlinformation oder der Lüge. Und schon gar nicht mit denen der Gewalt. Daher ruft der Schlusssatz dazu auf: Ändere deinen Blickwinkel."

EN "The refugee who arrives here is no stranger, but, like everyone else, a human being. Therefore, the sentence: „Everyone has the right to a dignified life." Our highest good should not be trampled on, not by racism, erroneous beliefs, misinformation or lies and certainly not by violence. Therefore, the final sentence is an appeal: Change your perspective."

English summary of the poster's text:
Do you see my journey or just my arrival? Everyone has the right to a dignified life. Change your perspective.

SIEHST DU MEINEN WEG ODER NUR MEINE ANKUNFT?

JEDER HAT EIN RECHT AUF
EIN MENSCHENWÜRDIGES LEBEN.

ÄNDERE DEINEN BLICKWINKEL

ALEXANDRA PREGLER, FELIX BAUMGÄRTNER

→ **ohne Titel**

→ **untitled**

ALTER/AGE
18, 20

STADT/CITY
Weiden, Schönthal

DE „Die Plakate zeigen Bilder von Geflüchteten aus erster Hand und es wird eine (rhetorische) Frage gestellt. Es wird Hoffnung und doch Angst um die eigene Existenz gezeigt. Dadurch kann man sich besser in die Geflüchteten hineinversetzen und eine Meinung zu dem Thema aufbauen."

EN "The posters show first-hand images of refugees and ask a (rhetorical) question. These questions express hope and yet fear for one's own existence. This makes it easier to empathize with the refugees and develop an opinion on the subject."

English summary of the posters' texts:
"When are we allowed to work?"
"How long am I allowed to stay?"
"When is Dad allowed to come?"

ARVIN NESSELHAUF

ALTER/AGE
19

STADT/CITY
Kappelrodeck

→ # Auch wir waren Flüchtlinge

→ # We Too Were Refugees

DE „Versetzt man sich einmal in die Lage der heutigen Flüchtlinge, bemerkt man, dass es zwischen ihnen und uns kaum einen Unterschied gibt. Das einzige Unterscheidungsmerkmal bildet das andere Land, die andere Kultur und die andere Zeit."

EN "If you put yourself in the position of today's refugees, you notice that there is little difference between them and us. The only distinguishing feature is the other country, the other culture and the other time."

English summary of the poster's text:
Anna, fled 1942
Faizah, fled 2016
We too were refugees.

Anna, geflohen 1942

Faizah, geflohen 2016

Auch wir waren Flüchtlinge.

„Held*innen, die sich mit gesellschaftspolitischen Fragestellungen, Missständen und Utopien auseinandersetzen. Über 400 Einsendungen erreichten die Bildungsstätte zu diesem Thema."

"Heroes and heroines who challenge and tackle sociopolitical issues, grievances and utopias. We received more than 400 submissions this time."

Save the world!

WELT RETTEN!

2017

Sponsors

William Blair & Company

Anne Frank Zentrum
Berlin

BMFSFJ im Rahmen des
Bundesprogramms Demokratie
Leben!

Caricatura Museum
Frankfurt

E-Kinos

Internationaler
Comicsalon Erlangen

Jaja-Verlag

Karl-Marx-Buchhandlung

Missy Magazin

Preisträger*innen / Winners

→ **Daniela Shteynberg (13)**, Frankfurt

→ **Janne Marie Dauer (21)**, Kassel

→ **Lea Heckar (19)**, Dortmund

→ **Vivien Goltz (13) und Nils-Erik Weicht (13)**, Oberursel

→ **Lasse Jakob Natter (9)**, Hamburg

→ **Finn Taylor (11)**, Stein

→ **George Ryan Andrews (12)**, Frankfurt

→ **Lisa Marie Heratsch (12)**, Herborn

→ **Fynn Gärtner (13)**, Eltville

→ **Marlene Baumung (14) und Finn Hansen (14)**, Frankfurt

→ **Fahrah Aarab (17)**, Frankfurt

→ **Helena Barino (15)**, Königstein

→ **Chris Calum Pankerl (17)**, Offenbach

→ **Lynn Moser (18) und Aimée Wisse (18)**, Bremen

→ **Katharina Vinnen (19)**, Mainz

→ **Jannik Jochim (22)**, Offenbach

→ **Sarah Koch (23)**, Kassel

→ **Katharina Götte (27)**, Borgentreich

→ **Lena Steffinger (27)**, Hamburg

→ **Natalia Schäfer (nataljusch) (29)**, Hamburg

→ **Paul Rietzel (30)**, Augsburg

Jury

Anke Kuhl,
Illustratorin und Autorin
(Frankfurt)

Marijpol,
Comiczeichnerin
(Hamburg)

Manuel Tiranno,
Comiczeichner
(Frankfurt)

Barbara Yelin,
Comiczeichnerin
(München)

Andreas Platthaus,
FAZ-Redakteur
(Frankfurt)

Philipp Mohr,
William Blair & Company
(Frankfurt)

DE Der Rechtsruck in Österreich, der Einzug der AfD in den Bundestag, die rassistischen Aufmärsche in Charlottesville, USA – das Jahr 2017 war gezeichnet von schockierenden politischen Entwicklungen. Gleichzeitig erlebte das Medium Comic eine Renaissance. Die Sehnsucht nach Comic-Superheld*innen scheint gut in eine Zeit zu passen, in denen sich viele den Weltläufen ohnmächtig ausgesetzt fühlen. Die vierte Staffel des Kunstwettbewerbs wollte Jugendliche und junge Erwachsene motivieren, nach neuen Comic-Held*innen zu suchen, die sich mit gesellschaftspolitischen Fragestellungen, Missständen und Utopien auseinandersetzen. Über 400 Einsendungen erreichten die Bildungsstätte zu diesem Thema. Die ausgezeichneten Arbeiten beschäftigen sich mit aktuellen Herausforderungen wie Rechtspopulismus, Rassismus, Sexismus, Umweltzerstörung, Flucht und Ungleichheit sowie zwischenmenschlichen Fragen von Empathie, Freundschaft und Liebe. Couragierte Alltagsheld*innen sind genauso vertreten wie utopische Superheld*innen. Zusätzlich zeichnete die Bildungsstätte drei Arbeiten mit einem „BÄM"-Preis aus, die unterschiedliche Geschichten zu Mut, Zivilcourage, Solidarität, Selbstbehauptung, Wehrhaftigkeit und Empowerment erzählen. Anlässlich des ersten Anne Frank-Tages der Stadt Frankfurt am 12. Juni 2017 wurden die 21 ausgezeichneten Werke in einer Ausstellung des Frankfurter Stadthauses und im Museum für Kommunikation Frankfurt/Main präsentiert.

EN The political shift to the right in Austria, the entry of the right-wing party AFD into the German parliament (Bundestag), the racist marches in Charlottesville, USA—the year 2017 was marked by shocking political developments. At the same time, the medium comic has experienced a renaissance. The craving for comic superheroes seems to fit well in times when so many people feel powerless in today's fast-moving world. In the fourth year of our art competition we wanted to motivate youth and young adults to look for new comic book heroes and heroines who challenge and tackle socio-political issues, grievances and utopias. We received more than 400 submissions this time. The award-winning works address current challenges such as right-wing populism, racism, sexism, environmental degradation, refuge and inequality, as well as issues with interpersonal perspectives as empathy, friendship or love. Courageous everyday life heroes and heroines are just as represented as utopian superheroes and -heroines. Three works were awarded with the specially created "Bäm"-award. These comic strips tell various stories about bravery, moral courage, solidarity, self-assertion, resilience and empowerment. When, on June 12, 2017, the city of Frankfurt commemorated for the very first time Anne's birthday on the newly created Anne Frank Day the 21 awarded works were exhibited in the Stadthaus (Town Hall) in the center of Frankfurt/Main followed by an exhibition in the Museum for Communication Frankfurt.

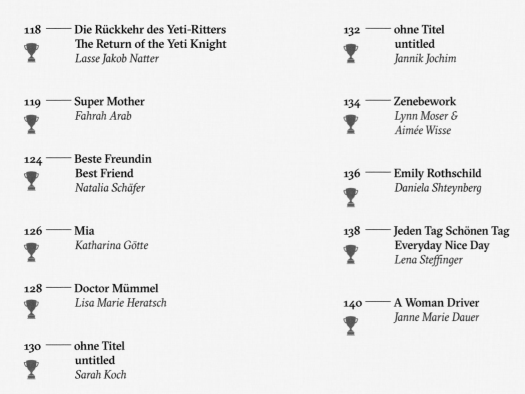

Für diesen Katalog wurde eine kuratierte Auswahl der Wettbewerbsteilnehmer*innen ausgesucht. Im folgenden Teil ist diese Auswahl für das Jahr 2017 abgebildet.

For this catalog, a curated choice of contestants was selected. The following part shows this selection for the year 2017.

🏆 Gewinner / Winner

LASSE JAKOB NATTER

ALTER/AGE
9

STADT/CITY
Hamburg

→ # Rückkehr des Yeti-Ritters

→ # The Return of the Yeti Knight

DE „Zum Thema ‚Welt retten,' ist mir der Tierschutz wichtig. Ich mag Tiere sehr gerne und will später Tierschützer werden. Ich bin auch Vegetarier. Darum habe ich mir in meinem Comic einen Superhelden gesucht, der einen Eisbären rettet, weil es davon ja nicht mehr viele gibt.
Die Idee mit dem Yeti fand ich witzig, weil ‚Die Rückkehr des Yeti-Ritters' nach Star Wars klingt."

EN "Animal welfare is important to me with regard to the topic of 'saving the world'. I really like animals and want to become an animal rights activist later. I am also a vegetarian. That's why I've been looking for a superhero in my comic book to save a polar bear, because there are not many of them anymore.
The idea with the Yeti I found funny, because the title 'Return of the Yeti' sounds like Star Wars."

English summary of the poster's text:
"one of the last polar bears. I want one for my collection"
"But I don't want you in my collection!"

FARAH AARAB

ALTER/AGE
17

STADT/CITY
Frankfurt am Main

→ **Super Mother**

DE „Mütter sind wahre Superheld*innen. Sie lieben uns, bevor wir auf der Welt sind, tragen uns 9 Monate in ihrem Bauch und geben uns alles, was sie haben. Wenn wir krank sind, sind sie immer für uns da und auch wenn andere Menschen uns verlassen, sie lassen uns nicht allein. An alle, die solche Mütter haben: Vergesst nie euch zu bedanken: Denn das sind echte Superheldinnen."

EN "Mothers are true superheroes. They love us before we are in the world, carry us 9 months in their belly and give us everything they have. When we are sick, they are always there for us and even when other people walk out on us, they do not leave us alone. To all who have such mothers: never forget to thank for her: Because they are real superheroines."

Die Rückkehr

Lasse Jakob Natter

des 🛡Yeti-Ritters

Farah Aarab

NATALIA (NATALJUSCH) SCHÄFER

ALTER/AGE
29

STADT/CITY
Hamburg

→ **Beste Freundin**

→ **Best Friend**

DE „Die eigene Superheldin kann die beste Freundin sein, die für uns da ist. Die umsichtig mit sich und ihrer Umwelt umgeht und sich ihren eigenen Dämonen stellt. Think big – Think small – Hauptsache mach etwas!"

EN "Your own superheroine can be the best friend who is there for you. She deals with herself and her environment carefully and faces her own demons. Think big—think small—main thing: do something!"

English summary of the poster's text:
My personal superhero is my oldest and best friend. She is always generous and ready to help. Her principles are love, understanding, and the search for truth. And best of all, she is real!

MEINE ÄLTESTE UND MIR TEUERSTE FREUNDIN IST MEINE PERSÖNLICHE SUPERHELDIN.

SIE KANN NICHT FLIEGEN UND HAT AUCH NICHT DEN RÖNTGEN-BLICK.

SIE SCHAUT HINTER DIE DINGE, SIE FÜHLT MIT, SIE DURCHLEUCHTET ALLES UND ZIEHT SCHLÜSSE.

SIE HAT SO EIN GROSSES HERZ, DASS ES MANCHMAL NICHT NUR SIE SCHMERZT MIT DIESEM HERZEN ZU LEBEN.

MANCHMAL GIBT SIE SO VIEL, DASS ICH SIE ZUM EGOISMUS ERMAHNEN MUSS.

UND SIE IST SO SCHLAU, DASS SIE GANZ OFT DARAN ZU (VER)ZWEIFELN SCHEINT.

SIE GEHT DEN DINGEN AUF DEN GRUND UND WEISS, DASS DORT DIE WICHTIGSTE BASIS, DIE LIEBE, ODER EBEN IHRE ABWESENHEIT, ZU FINDEN IST.

SIE GEHT DAHIN, WO ES WEH TUT, WO ES SCHWER IST UND SETZT SICH DEM AUS.

IHRE GRUNDSÄTZE SIND LIEBE, VERSTÄNDNIS UND VIELLEICHT DIE SUCHE NACH WAHRHEIT.

SO WÜRDE ICH ES ZUMINDEST ZUSAMMENFASSEN.

UND DAS BESTE IST: **SIE IST ECHT!**

UND SIE TRÄGT IHRE UNTERWÄSCHE NICHT ÜBER DER STRUMPFHOSE.

ZUMINDEST MEISTENS...

KATHARIAN GÖTTE   **ALTER/AGE**
                                                    27

→ **Mia**   **STADT/CITY**
                                                    Borgentreich

DE „Mobbing ist ein bekanntes Thema. Abstrahiert über die Puppe Mia nähert sich dieser Comic dem Thema an und setzt Mia in den Mittelpunkt. Eine Superheldin, die ihren Freund*innen immer zur Seite steht. Sie räumt mit Vorurteilen auf und stellt sich „Feinden" mutig mit Worten in den Weg. Jeder kann also ein Superheld sein, auch wenn nicht alle anderen das so sehen. Man muss nur selbst an sich glauben, denn jeder ist etwas Besonderes!"

EN "Bullying is a well-known matter. Employing the doll Mia, this comic approaches the topic and puts Mia in the center. A super heroine who always stands by her friends. Mia does away with prejudice and bravely and outspoken opposes "enemies" with words.
Anyone can be a superhero, even if not everyone else may see it that way. Just believe in yourself, because everyone is special!"

von Katharina Götte

Lea ist ganz aufgeregt. Sie ist auf dem Weg zu ihrem ersten Tag im Kindergarten. Und dabei darf ihre Puppe **Mia** nicht fehlen, denn die beiden machen alles gemeinsam.

Während des Mittagessens setzt Lea ihre Puppe zu den anderen wartenden Kuscheltieren.

Hallo, ich bin **Mia!** Ich bin ganz neu hier. Vielleicht können wir ja Freunde werden?!

Freunde? Niemals! Du hast ja noch nicht mal zwei Augen!

Dein Kleid ist sogar schon geflickt!

Und was ist mit deinen Haaren los?! Die haben ja verschiedene Farben.

Mia ist traurig. Die anderen lachen sie aus und machen sich über ihr Aussehen lustig. Dabei kann Mia doch gar nichts dafür...

Als Mia abends im Bett liegt muss sie noch immer über die Witze der anderen nachdenken. Doch da kommt **Berti**, der Teddy von Leas Bruder, um sie zu trösten.

Mia erzählt Berti alles was morgens im Kindergarten passiert ist.

Aber Mia, deshalb darfst du nicht traurig sein. All das macht dich zu etwas **Besonderem!** Denn du hast schon so vieles mit Lea durchgemacht. Das wissen die anderen nur nicht.

Berti hat Recht! Jeder Makel, über den sich die anderen lustig gemacht haben, erzählt ein Abenteuer von **Mia und Lea.**

Ihr Auge verlor Mia, als sie zusammen mit Lea auf einen Baum kletterte, um ein Baumhaus zu bauen. Danach hat Lea das Auge mit einem Knopf in ihrer Lieblingsfarbe ersetzt.

Einmal mussten die beiden vor einem Hund flüchten, wobei Mias Haare an einem Zaun hängen blieben und abrissen. Lea hat die Haare danach mit bunten Fäden wieder aufgefüllt.

Mias Kleid wurde aus Versehen beim gemeinsamen Basteln zerschnitten und musste genäht werden.

Danke Berti!

Am nächsten Tag im Kindergarten erzählt Mia den anderen voller Mut ihre Geschichte.

Ich möchte euch erzählen, warum ich so aussehe. Vielleicht versteht ihr mich dann besser und wir werden doch noch Freunde.

Mia erzählt den anderen Kuscheltieren von all den Abenteuern, die sie schon mit Lea erlebt hat. Dabei fühlt sie sich wie eine kleine **Superheldin!**

Auch die anderen erkennen, dass Mia trotz ihrer kleinen Makel etwas ganz Besonderes ist und sie werden alle gute Freunde!

LISA MARIE HERATSCH

ALTER/AGE
12

STADT/CITY
Herborn

→ # Doctor Mümmel

DE „Doctor Mümmel ist ein Superheld. Wenn man einen Hasen hat, rettet er einem oft den Tag. Man kann ihnen alles sagen, sie auf den Arm nehmen und knuddeln, wenn man traurig ist. Wenn man mit ihnen zum Tierarzt muss, können sie sauer sein und man selbst wird für sie zum Bösen, der sie in ein fremdes Umfeld bringt. Sie reden nicht, haben aber ein großes Herz und sind deshalb stille aber große Helden."

EN "Doctor Mümmel is a superhero. If you have a rabbit, it often saves your day. You can tell them everything; hug them when you are sad. If you have to take them to the vet, they can be angry and you become evil for them, because you put them in a strange environment. They do not talk but have a big heart and are therefore silent but great heroes."

Doctor Mümel

SARAH KOCH

ALTER/AGE
23

STADT/CITY
Kassel

→ **ohne Titel**

→ **untitled**

DE „Vier verschiedene Erzählstränge laufen zusammen zum Superheld*innen-Team. Sei es die Schülerin, die den neuen Mitschüler in den ersten Tagen unterstützt, ein Lehrer mit Down-Syndrom der gegen Vorurteile kämpft, eine Mutter mit Kopftuch, die arbeiten geht, während ihr Mann sich zu Hause um das Kind kümmert oder ein Hund, der ständige Begleiter für Menschen."

EN "Four different narrative strands converge at one point, the team of superheroes. Be it the student who supports the new classmate during the first few days, a teacher with Down syndrome who fights against prejudice, a mother with a headscarf who works, while her husband looks after the child at home or a dog, constant companion for humans."

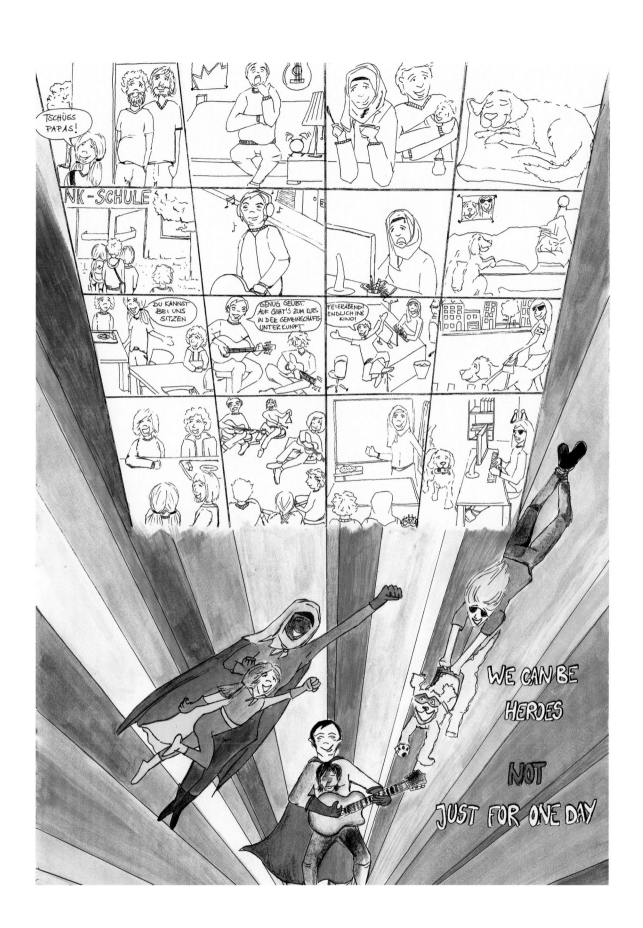

JANNIK JOCHIM

ALTER/AGE
22

STADT/CITY
Offenburg

→ **ohne Titel**

→ **untitled**

DE „In schwierigen Situationen braucht man nicht immer Supermann um sie zu überstehen. Manch mal hilft ein bisschen Glück. Zum Beispiel durch ein umklappendes Supermann Kino Plakat, das einen Obdachlosen vor dem Regen schützt."

EN "In difficult situations you do not always need Superman for survival. Sometimes a little luck helps. For example, a flip-over Superman cinema poster that shields a homeless person from the rain."

LYNN MOSER, AIMÉE WISSEL

→ # Zenebework

ALTER/AGE
18

STADT/CITY
Bremen

DE „Zenebework (amharisch: Goldener Regen) ist in Äthiopien geboren und lebt mittlerweile in Bremen. Ihre Kindheit in Äthiopien spielt in ihrem Leben eine wichtige Rolle und sie macht es sich zur Aufgabe, ein Mittel gegen die Hunger- und Wassernot in ihrer Heimat zu erfinden. Zenebework ist als Superheldin ein Symbol für Feminismus und gegen Rassismus."

EN "Zenebework (Amharic: Golden Rain) was born in Ethiopia and now lives in Bremen. Her childhood in Ethiopia plays an important role in her life and she makes it her mission to invent a remedy for the famine and water scarcity in her homeland. Zenebework is a superheroine, symbol of feminism and anti-racism."

DANIELA SHTEYNBERG

ALTER/AGE
13

STADT/CITY
Frankfurt am Main

→ **Emily Rothschild**

DE „Mein Comic handelt von einem Mädchen namens Emily. Sie war mit ihrem Vater auf einem Auto-rennen. Dort sieht sie eine Rennfahrerin, die zu ihrem Idol wird. Aufgrund der ganzen Vorurteile, dass Frauen schlechter fahren als Männer, will sie die beste Rennfahrerin der Welt werden. Als sie vor der Klasse ihren Traumberuf vorstellt, wird sie von anderen ausgelacht, weil sie jüdisch ist und einen männlichen und albernen Beruf machen möchte. Doch als Emily heulend ins Bad rennt, spricht plötzlich der Geist von Anne Frank zu ihr. Emily wird es klar, dass es egal ist, was andere denken. Sie soll mutig sein und selbstständig handeln, genauso wie Anne, Esther und viele anderen. Ein Jahr später geht sie auf ein Gymnasium in einer anderen Stadt. Da will sie sich nicht ablenken lassen und ihren Traum erfüllen. Daraufhin macht sie einen guten Abschluss und erfüllt sich ihren Traum. Sie gewinnt den ersten Platz und wird somit die beste jüdische Rennfahrerin der Welt. Zum Schluss sehen wir, dass Emily erwachsen wird und viele Auszeichnungen bekommt. Für mich ist sie eine Art Superheldin, die keine Superkräfte haben muss. Sie muss einfach nur ihre Meinung durchsetzen können, an ihre Träume glauben und an ihrem Vorhaben festhalten."

EN "My comic is about a girl named Emily. She once was at a car race with her father. There she sees a racing driver, a woman, who becomes her idol. Despite all the prejudices, that women drive worse than men, she wants to become the best racer in the world. When she introduces her dream job to her classmates, she is laughed at by the others, because she is Jewish and wants to do a masculine and silly job. But as Emily runs into the restroom crying, Anne Frank's ghost suddenly speaks to her. Emily realizes that it does not matter what others think. She shall be courageous and act independently, just like Anne, Esther and many others. A year later she goes to a high school in another city. She does not want to be distracted and pursues her dream. She then graduates with good marks and fulfills her dream. She wins the first place and thus becomes the best Jewish racer in the world. Finally, we see that Emily grows up and gets many awards. For me she is a kind of superheroine, who does not need superpowers. She must simply be able to assert her opinion, believe in her dreams and stick to her project."

LENA STEFFINGER

ALTER/AGE
27

STADT/CITY
Hamburg

→ # Jeden Tag Schönen Tag

→ # Every Day Nice Day

DE „Im Alltag begegnen uns viele Held*innen, auch wenn wir diese nicht immer wahrnehmen. Zum Beispiel Verkäufer*innen im Supermarkt, die mit einem Lächeln und sehr hilfsbereit ihrem Job nachgehen und den Menschen, die bei ihnen einkaufen, unvoreingenommen begegnen."

EN "In everyday life we meet many heroes, even if we do not always perceive them as such. For example, supermarket sales people who do their job with a smile and are ready to help and regard their customers with an open-mind."

JANNE MARIE DAUER

ALTER/AGE
21

→ # A Woman Driver

STADT/CITY
Kassel

DE „Der Comic beruht auf der Geschichte von Gertrude Hadley Jeanette. Die 103 Jahre alte Frau war die erste schwarze Taxifahrerin New Yorks. Ihre Geschichte steht als ermutigendes Beispiel dafür, dass Menschen etwas verändern können und zeigt dennoch deutlich die Absurditäten von Rassismus und Sexismus in Vergangenheit und Gegenwart auf."

EN "The comic is based on the story of Gertrude Hadley Jeanette. The 103-year-old woman was the first black taxi driver in New York. Her story is an encouraging example of how people can make a difference and yet clearly highlights the absurdities of past and present racism and sexism."

A WOMAN DRIVER

MISS GERTRUDE JEANETTE IS 103 YEARS OLD. SHE IS A TRUE LIVING LEGEND, AN ACTRESS IN THEATRE AND FILM. SHE FOUNDED A THEATRE MENTORING PROGRAM IN HARLEM, NEW YORK IN THE 70s CALLED THE H.A.D.L.E.Y. PLAYERS. AND IN 1942 SHE BECAME NEW YORK'S FIRST FEMALE CAB DRIVER. HERE SHE TALKS ABOUT HER FIRST DAY...

„Es sind Bilder einer Gesellschaft, in der es gerecht
zugeht, in der es Spaß macht
zu leben, zu diskutieren
und zu streiten."

"Images of a society in which
equity rules, life can be
enjoyed and in which it is
worthwhile to argue
and—maybe—pick a fight."

Let's pick a fight!

WIR SUCHEN STREIT!

2018

Sponsors

William Blair & Company
BMFSFJ im Rahmen
des Bundesprogramms
Demokratie Leben!
Amadeu Antonio Stiftung,
Anne Frank Zentrum Berlin
Missy Magazine
Museum für Kommunikation
Frankfurt
E Kinos Frankfurt
Go Druck Media
Ecco Agentur für
Kulturmedien
Karl Marx Buchhandlung
Frankfurt

Preisträger*innen / Winners

→ **Aaron Aurel (23)**, Wiesbaden

→ **Clara van Wijngaarden (14)**, Frankfurt

→ **Lilith Fuhrmann (14) und Isabell Roeder (14)**, Frankfurt

→ **Clarissa Schwalm (14) und Mareike Slota (14)**, Neuss

→ **Pauline Cermak (17)**, Offenbach

→ **Alina Fried (17)**, Stuttgart

→ **Kay Simon (20) und Leon van Alphen (20)**, Lohra / Gladenbach

→ **Julia Bock (21) und Milan Dangol (23)**, Linsengericht

→ **Jana Haupich (21)**, Hetzerath

→ **Daniel Müller (27) und Niclas Müller (22)**, Kempten / Dösingen

Jury:

Barbara von Stechow,
Galeristin,
(Frankfurt)

Farah Bouamar,
Co-Founderin des
Youtube-Kanals Datteltäter,
(Berlin)

Monique Behr,
Ausstellungsmanagerin,
Museum für Kommunikation,
(Frankfurt)

Jennifer Sieglar,
Moderatorin und
Reporterin bei logo!,
(Mainz)

Philipp Mohr,
William Blair & Company,
(Frankfurt)

Wolfgang Tillmans,
Künstler,
(Berlin / London)

DE Plakate gehören zu einer der ältesten Formen politischer Kommunikation. Auch im digitalen Zeitalter kann ein gut gemachtes, provokantes Plakat eine große Debatte auslösen – selbst, wenn es gar nicht mehr an Litfaßsäulen und Wänden plakatiert, sondern nur bei einer Pressekonferenz vorgestellt wird und ausschließlich in den sozialen Medien Verbreitung findet.

Das Jahr 2018 war voll von polarisierenden Plakaten – meist solchen aus der populistischen Ecke. Plakate, die die Spaltung in der Gesellschaft vorantreiben, die ein „Wir" gegen ein abwehrendes „Die" in Stellung bringen. Dem wollten wir etwas entgegenstellen! Unter dem Motto „Wir suchen Streit!" luden wir deshalb junge Menschen ein zu zeigen, für welche Ideale sie streiten, was sie verteidigen wollen und welche Werte ihrer Meinung nach die Gesellschaft ausmachen, in der wir leben. Erreicht haben uns ungefähr 400 Arbeiten junger Künstler*innen, auf denen sie darstellen, was ihnen wichtig ist: Es sind Bilder einer Gesellschaft, in der es gerecht zugeht, in der es Spaß macht zu leben, zu diskutieren und zu streiten.

Besonders gefreut haben wir uns darüber, dass bekannte Künstler*innen in der Jury saßen und dieses Projekt unterstützten. Sie unterstützten zudem den Bau des Lernlabors „Anne Frank. Morgen mehr.", durch das Bereitstellen einiger Werke, die im Rahmen einer Benefiz-Gala versteigert wurden. Zum ersten Mal wurde auch ein Publikumspreis vergeben, dessen Gewinnerin durch Abstimmung in den sozialen Medien ermittelt wurde.

EN Posters are one of the oldest forms of political communication. Also in the digital era, a well-made, provocative poster can spark a debate—even if it is not put up on a wall, but is merely presented at a press conference and distributed solely via social media.

The year 2018 was overfilled with polarizing posters – most of them stemmed from populist corners. Posters promoting societal division, creating a "we" versus "they" climate. We felt we needed to make a stand against this divisive development. Hence we used the motto "Wir suchen Streit (Let's pick a fight!)" and asked young people to show us, which ideals they are defending, what they stand in for and what they think, is relevant in our current society. We received about 400 works by young artists, depicting what is important to them: images of a society in which equity rules, life can be enjoyed and in which it is worthwhile to argue and—maybe—pick a fight.

We were especially pleased with the participation of well-known artists in the jury. The same artists also supplied funds for the construction of the new learning lab "Anne Frank. Morgen mehr." by offering some of their works for auction during a special charity event. Also, for the first time an audience prize was awarded, the winner of which was determined by votes by our followers on social media.

award ceremony 2018

Wir suchen Streit!   Let's pick a fight!

148 / 149

Für diesen Katalog wurde eine kuratierte Auswahl der
Wettbewerbsteilnehmer*innen ausgesucht. Im folgenden
Teil ist diese Auswahl für das Jahr 2018 abgebildet.

For this catalog, a curated choice of contestants was
selected. The following part shows this selection for
the year 2018.

Gewinner / Winner

CLARA VAN WIJNGAARDEN

ALTER/AGE
14

STADT/CITY
Frankfurt am Main

→ # Wir haben alle verschiedene Seiten

→ # We All Have Different Sides

DE „Hiermit ist gemeint, dass jeder verschiedene Persönlichkeiten in sich trägt, die vielleicht auch noch nicht bekannt sind oder versteckt werden. Dies kann positiv, aber auch negativ sein. Nur jeder allein kann für sich entscheiden, welche „Seite" zum Vorschein kommen soll."

EN " These words indicate that every single one carries several personalities that may not yet be known or well hidden. These can be positive, but also negative attributes. Only everyone alone can decide for herself or himself which 'aspect' should come to light."

English summary of the poster's text:
We all have different sides—let's show our best one!

JANA HAUPICH

ALTER/AGE
21

STADT/CITY
Hetzerath

→ **Freundschaft**

→ **Friendship**

DE „Ich bin der Meinung, dass es genau diese Aspekte sind, die eine gute Freundschaft ausmachen: gegenseitiges Verständnis, Einfühlungsvermögen und das Gefühl, gemeinsam allen Gefahren trotzen zu können.
Wir sollten uns viel öfter in die Haut unserer Mitmenschen versetzen. Nur so können wir einander wirklich verstehen."

EN "I think it's these very aspects that make a good friendship: mutual understanding, empathy, and the sense of being able to defy all dangers together.
We should put ourselves much more often in the place and under the skin of our fellow human beings. Only then can we truly understand each other."

FREUNDSCHAFT

DANIEL MÜLLER, NICLAS MÜLLER

ALTER/AGE
27, 22

STADT/CITY
Kempten und Dösinge

→ **Anschluss finden**

→ **Find Your Connection**

DE „Verschiedene Anschlüsse, dasselbe Ausgabegerät. Religionen bieten Menschen Halt – unterschiedliche Anbieter für unterschiedliche Menschen.
Mit dem vorliegenden Plakat soll verdeutlicht werden, dass die inhaltlichen Unterschiede der Weltreligionen eine rein oberflächliche Betrachtung sind, wenn das „Ausgabegerät" Mensch, letztendlich immer Antworten auf dieselben Fragen sucht. Egal ob die Aussagen und Antworten anders verpackt, formuliert oder versinnbildlicht werden – jeder Mensch sucht Halt, Zugehörigkeit, Geborgenheit, Verständnis und Selbstbestimmung. Wenn Religion dabei hilft, rücksichtsvoll miteinander umzugehen, spielt es doch keine Rolle, welcher Gott oder welches Symbol verwendet wird."

EN "Different connections, the same output device. Religions and creeds offer people support—different providers for different people.
The purpose of this poster is to clarify that the content differences of the world religions are purely superficial, if the 'output device' human ultimately always seeks answers to the same questions. Regardless of whether the statements and answers are wrapped, formulated or symbolized differently—every person seeks support, belonging, security, understanding and self-determination. If religion helps us to treat one another considerately, it really does not matter which god or symbol is used."

ANSCHLUSS FINDEN

ALISHA DIEHL

→ # Mehr davon!

→ # More of That!

ALTER/AGE
20

STADT/CITY
Trier

DE „Mein Plakat mit dem Namen „Mehr davon!"
ruft zu mehr Liebe zwischen Menschen mit unter-
schiedlicher Herkunft auf. Es zeigt einen Weg,
wie man Rassismus und Intoleranz mit schönen
Mitteln bekämpfen kann.
Mit dem Slogan „Mehr davon!" möchte ich den
Beobachter auffordern im Sinne des Plakates zu
handeln."

EN "My poster called "More of that!" calls for more
love between people of different backgrounds.
It shows a way to combat racism and intolerance
by beautiful means.
With the slogan I would like to call upon the
observer to act in the spirit of the poster."

JULIA BLOCK, MILAN DANGOL

ALTER/AGE
21, 23

STADT/CITY
Linsengericht

→ **Mögen Sie Pizza?**

→ **Do You Like Pizza?**

DE „Eine Grundlage unseres Zusammenlebens bietet das Grundgesetz. Unser Rezeptbuch. Es sichert die Grundrechte – wie beispielsweise die Menschenwürde oder die Meinungs-, Informations- und Pressefreiheit. Dies sind die elementaren Zutaten unserer Demokratie und das aus gutem Grund.
Billige Hetze und blinder Hass haben in einer zivilisierten Gesellschaft nichts zu suchen. Menschenverachtende, rassistische Propaganda und Populismus spalten nur. Für eine aufgeklärte Gesellschaft müssen wir genau hinschauen und dieses Unrecht erkennen. Denn dann ist es unsere Pflicht für die Menschen einzutreten und den Mund aufzumachen."

EN "One basis of our living together is provided by the Basic Law. Our recipe book. It ensures our fundamental rights—such as human dignity or freedom of opinion, information and the press. These are the elementary ingredients of our democracy and for good reason.
Baiting and blind hatred have no place in a civilized society. Inhumane, racist propaganda and populism only split. For an enlightened society, we have to look closely and recognize this injustice. Because it is our duty to show commitment to the people and to open our mouths."

English summary of the poster's text:
The Basic Law as basic recipe. The dignity of pizza is untouchable. No one shall be disadvantaged or preferred because of their topping, dough or crust. For love and reason.

Das Grundgesetz als Grundrezept

DIE WÜRDE DER PIZZA IST UNANTASTBAR.
Niemand darf wegen seines Belages, seines Teiges oder
seiner Kruste benachteiligt oder bevorzugt werden.

❤ Für Liebe und Vernunft.

ALINA FRIED

ALTER/AGE
17

STADT/CITY
Stuttgart

→ # Einfältige Gummibärchen

→ # Simple(-minded) Gummy Bears

DE „In der gesellschaftlichen Norm ist es schwer anerkannt zu werden, wenn man aus der Reihe tanzt. Menschen werden ausgegrenzt wegen der Religion, der Hautfarbe, der Sexualität oder anderer ‚Kriterien', welche uns doch genauso kunterbunt und verschieden machen wie die Gummibärchen. Deshalb stelle ich die Frage, was wäre, wenn alle Gummibärchen gleich schmeckten? Gleich aussähen? Die gleiche Größe und Form hätten? Langweilig, oder?"

EN "In the social norm, it's hard to be accepted if you fall out of line. People are segregated for reasons of religion, skin color, sexuality or other 'criteria' that actually give us a motley appearance as colorful and in such a variety as gummy bears are. So I ask the question, what if all gummy bears tasted the same? Looked the same? Had the same size and shape? Would be boring, wouldn't it?"

English summary of the poster's text:
Imagine all gummy bears taste the same.

STELL DIR VOR

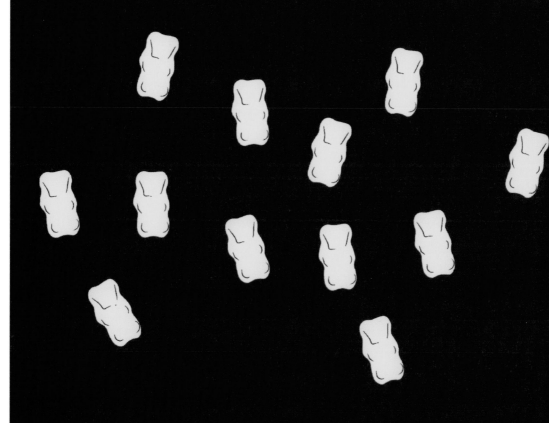

Alle Gummibärchen schmecken gleich

ANISSA MANSOUR

→ # The Only Difference Is Your Racism

DE „Eines Tages, als ich aus reiner Neugier auf die Straßen als nicht Kopftuch tragende Muslima mit einem Kopftuch raus ging, bekam ich unangenehme Blicke und Bemerkungen zu spüren. […] Es war mir nie bewusst, wie sich Kopftuch tragende oder auch verhüllte Frauen wohl fühlen müssen. Das Gefühl, ausgeschlossen zu werden, wünsche ich keinem."

EN "One day, out of sheer curiosity and being a Muslima not wearing a headscarf, I decided to step out with a headscarf and see what happened. I encountered a number of unpleasant glances and remarks. […] I never had any idea of how women wearing headscarves or veils might feel in their daily lives. I do not wish anyone the feeling of being excluded."

THE ONLY DIFFERENCE
IS YOUR RACISM

AARON AUREL

ALTER/AGE
23

STADT/CITY
Wiesbaden

→ # Hate Hate

DE „Durch Diskussion, Alternativen für Mitläufer und einen intelligenten Dämpfer kann meiner Meinung nach viel erreicht werden. Nichtsdestotrotz werden leise Stimmen leicht überhört und die dümmsten Hetzer schreien am lautesten. Folglich wird diesen Stimmen mit nachdrücklicher Nettigkeit, verkörpert durch die Blumen im Mund des Hetzers, das Maul gestopft."

EN "In my opinion we can achieve a lot when we discuss, offer alternatives for followers and sympathizers and attenuate the noise intelligently. Nonetheless, gentle voices are easily overheard and the most stupid agitators scream loudest. Consequently, those rabble-rousers are assertively and nicely muffled by filling their mouths with a bunch of flowers."

SO GEH
NICHT
WEITER

BEHINDERN IST EINFACH.

Pauline Cermak

BEHINDERT SEIN NICHT.

PAULINE CERMAK

ALTER/AGE
17

STADT/CITY
Offenbach

→ **So geht es nicht weiter!**

→ **No Way of Moving On**

DE „Schon oft war ich an Orten, an denen es keinen Aufzug gab oder dieser defekt war und es so hingenommen werden musste, da keine Zwischenlösung gefunden wurde. Wenn man nicht laufen kann und man möglicherweise auch noch alleine ist, wie soll man die Treppen rauf oder runter kommen?"

EN "Many times I've been in places where there was no elevator or it was broken and the situation had to be accepted, since no interim solution was found. If you cannot walk and you might be alone on top all of it: how are you supposed to get up or down the stairs?"

English summary of the poster's text:
No way of moving on.
Handicapping someone is easy.
Being handicapped is not.

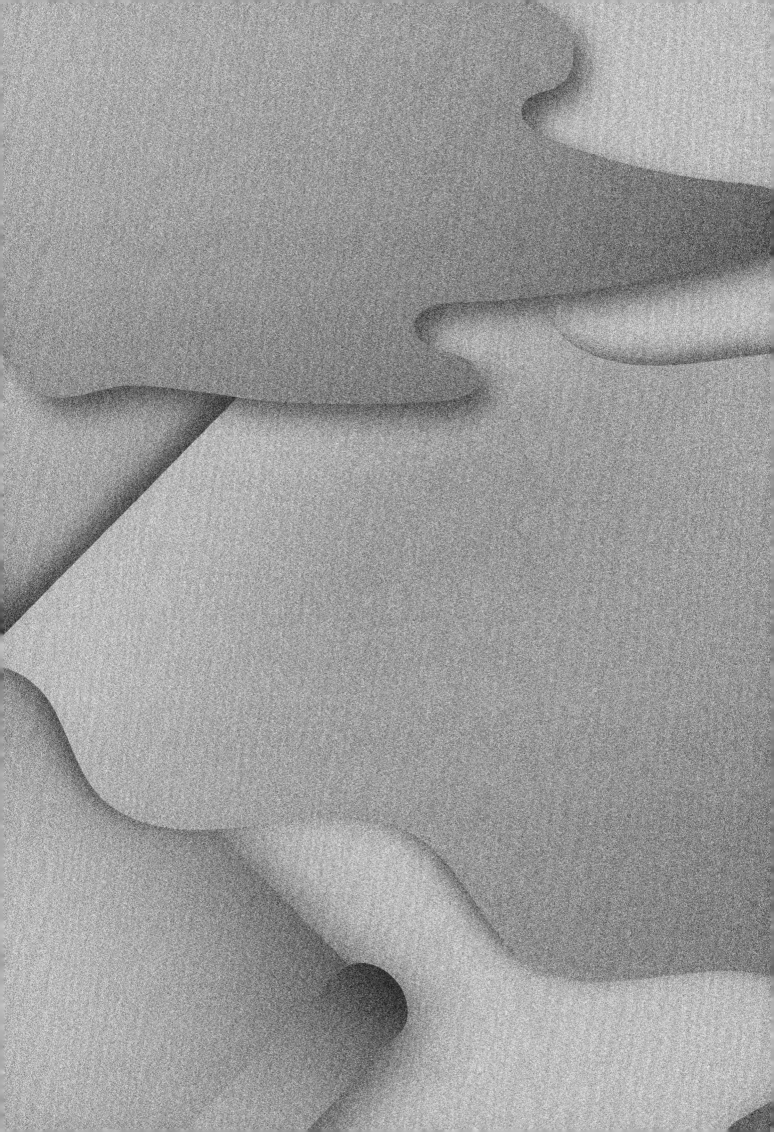

BILDUNGS-STÄTTE ANNE FRANK

stellt sich vor:

We introduce:

ANNE FRANK EDUCATIONAL CENTRE

Bildungsstätte Anne Frank – Zentrum für politische Bildung und Beratung Hessen

Alle kennen Anne Frank – aber nur wenige wissen, dass sie aus Frankfurt am Main kam. Im Stadtteil Dornbusch, in dem Anne in jungen Jahren aufgewachsen ist, finden Sie heute die Bildungsstätte Anne Frank.

DE Die Bildungsstätte Anne Frank ist ein Zentrum für politische Bildung und Beratung in Hessen, mit Standorten in Frankfurt am Main und Kassel. Wir stärken Jugendliche und Erwachsene für die aktive Teilhabe an einer offenen und demokratischen Gesellschaft. Mit innovativen Konzepten und Methoden sensibilisieren wir Jugendliche und Erwachsene gegen Antisemitismus, Rassismus und verschiedene Formen von Diskriminierung. Wichtige Bezugspunkte unserer Arbeit sind die Biografie von Anne Frank und die humanistische Botschaft ihres weltberühmten Tagebuchs. Mit response und dem ADiBe-Netzwerk sind zwei hessische Beratungsstellen in der Bildungsstätte Anne Frank angesiedelt: „response" unterstützt Betroffene von rechter und rassistischer Gewalt, das ADiBe-Netzwerk berät Menschen, die Diskriminierung erfahren haben.

In unserer politischen Bildungsarbeit greifen wir aktuelle Diskurse und gesellschaftliche Konflikte auf. Fachkräfte erhalten Beratung in akuten Konfliktfällen sowie zum Umgang mit Radikalisierung und radikalisierten Jugendlichen. Im Juni 2018 wurde die Anne Frank-Ausstellung als Lernlabor „Anne Frank. Morgen mehr." in Frankfurt neu eröffnet. Damit schaffen wir einen Ort der Auseinandersetzung und der Debatte. Hier machen wir Jugendliche mit Leben und Werk Anne Franks vertraut. Hier lernen sie, Fragen aus der Geschichte auf die Gegenwart anzuwenden. Das Lernlabor nimmt jugendliche Perspektiven zum Thema Diskriminierung ernst und macht die verschiedenen Formen der Aneignung von Geschichte erlebbar: Utopien, Konflikt, Widerstand. Neben dem Lernlabor „Anne Frank. Morgen mehr." ist seit 2014 das Mobile Lernlabor „Mensch, Du hast Recht(e)!" auf Tour. Die Bildungsstätte Anne Frank fördert den Austausch zwischen Wissenschaft und Bildungspraxis, vernetzt verschiedene Gruppen und Communities vor Ort und bringt sie miteinander ins Gespräch – im Rahmen von Workshops, Konferenzen und Fachtagen, wechselnden Sonderausstellungen sowie öffentlichen Informations- und Diskussionsveranstaltungen.

2014 veranstaltete die Bildungsstätte Anne Frank den ersten bundesweiten Kreativwettbewerb für Jugendliche und junge Erwachsene, mit der großzügigen Unterstützung von William Blair & Company. Den Auftakt bildete der Kunstwettbewerb ANNE FRANK HEUTE: Die Teilnehmer*innen konnten sich künstlerisch mit Anne Franks Schicksal, ihrem Tagebuch und der Frage auseinandersetzen, ob Anne Frank Jugendliche heute überhaupt noch inspiriert. Seit diesem ersten erfolgreichen Aufschlag wird der Kunstwettbewerb jedes Jahr mit unterschiedlichen thematischen Schwerpunkten ausgeschrieben.

Sie können die Arbeit der Bildungsstätte Anne Frank mit einer Spende unterstützen.

Bildungsstätte Anne Frank e.V.
Bank: Frankfurter Sparkasse
IBAN: DE17500502010000904748
SWIFT-BIC HELADEF1822

Anne Frank Educational Centre—Centre for Political Education and Counseling in the state of Hesse.

Everyone knows Anne Frank—but few people know that she and her family originated from Frankfurt, Germany. Today, the Anne Frank Educational Centre is located in Frankfurt, in the neighbourhood of Dornbusch, where Anne grew up at a young age.

EN The Anne Frank Educational Centre offers political education and counseling in Hesse, located in the cities of Frankfurt/Main and Kassel. We empower young people and adults to actively participate in an open and democratic society. Using innovative concepts and methods, we sensitize young people and adults to deal with and stand strong against anti-Semitism, racism and various forms of discrimination. In our approach we lean heavily on Anne Frank's biography and the humanist message of her world-famous diary. The Centre has also marked the beginning of two eminent projects, namely response and the ADiBe network. Both are Hessian counseling centres based in the Anne Frank Educational Centre: "Response" supports victims of right-wing and racist violence, whereas the ADiBe network provides advice to people who have experienced various kinds of discrimination.

In our political education we reflect current discourses and conflicts. Specialists receive advice in severe and urgent cases of conflict and we also advice on how to deal with radicalization and radicalized youth. In June 2018 we reopened the Anne Frank exhibition as a learning lab under the motto "Anne Frank. More Tomorrow." We want this place to be interactive with debate and dispute. Here we introduce young people to the life and work of Anne Frank. Here they learn to raise questions pertaining to the past and to the present. The learning lab takes young people's perspectives on discrimination seriously and enables them to acquire knowledge and understanding of the past in various forms: They learn about utopia, conflict and resistance. In addition to this new learning lab "Anne Frank. More Tomorrow." we have on tour since 2014 the mobile learning lab "You are right—you have rights!" The Anne Frank Educational Centre promotes the exchange between science and educational practice, connects various groups and local communities and enhances open discussion with one another—through workshops, conferences, symposia, changing special exhibitions, and public debates.

In 2014 the Anne Frank Educational Centre launched the first nationwide creative competition for youth and young adults, thanks to the generous support by William Blair & Company. The first competition was entitled: ANNE FRANK TODAY. Participants were called to artistically examine Anne Frank's fate, her diary and the question of whether young people today are still inspired by her. Since then, the art competition has been held each year with a changing topical focus.

You can support the work of the Anne Frank Educational Centre with a donation.

Bildungsstätte Anne Frank e.V.
Bank: Frankfurter Sparkasse
IBAN: DE17500502010000904748
SWIFT-BIC HELADEF1822

IMPRESSUM / COLOPHON

© 2019 Kehrer Verlag Heidelberg Berlin,
Künstler / artists und Autoren / and authors

Herausgeber / Editor
Dr. Meron Mendel
Direktor der Bildungsstätte Anne Frank

Redaktion / Editorial Staff
Siraad Wiedenroth (verantwortlich/responsible)
Eva Berendsen, Leo Fischer

Texte / Texts
Eva Berendsen, Nora Coleman, Leo Fischer,
Sharon D. Otoo, Janne Thiel

Redigat und Lektorat / Revision and Proofreading
Eleonore W. Coulibaly

Übersetzung / Translation
Ayesha Khan

Gestaltung / Design
Pixelgarten, Frankfurt am Main

Gesamtherstellung / Production
Kehrer Design Heidelberg (Tom Streicher)

Bildbearbeitung / Image Processing
Kehrer Design Heidelberg (Patrick Horn)
Pixelgarten

Förderung / Sponsoring
William Blair & Company

Printed and bound in Germany
ISBN 978-3-86828-931-2

Danksagung / Thanks
Wir danken William Blair & Company
ganz herzlich für die Zusammenarbeit
und die Förderung.
Besonderer Dank gilt Philipp Mohr,
Laura Coy, Sabine Matynia, Isidora Lagos
und Nolan Chan.

We thank William Blair & Company
warmly and sincerely for the
cooperation and the sponsoring.
Our special thanks go to Philipp Mohr,
Laura Coy, Sabine Matynia,
Isidora Lagos and Nolan Chan from
William Blair & Company.

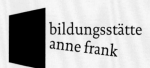

bildungsstätte
anne frank

William Blair

Kehrer Heidelberg Berlin
www.kehrerverlag.com